Coleção
FILOSOFIA
ATUAL

Impresso no Brasil, fevereiro de 2011

Copyright © 2011 by Mendo Castro Henriques

Os direitos desta edição pertencem a
É Realizações Editora, Livraria e Distribuidora Ltda.
Caixa Postal: 45321 · 04010 970 · São Paulo SP
Telefax: (11) 5572 5363
e@erealizacoes.com.br · www.erealizacoes.com.br

Editor
Edson Manoel de Oliveira Filho
Gerente editorial
Bete Abreu
Preparação de texto
Sheila Tonon Fabre
Revisão
Marcos Antonio Gimenes e Helô Beraldo
Capa e projeto gráfico
Mauricio Nisi Gonçalves / Estudio É
Pré-impressão e impressão
Prol Gráfica e Editora

Reservados todos os direitos desta obra.
Proibida toda e qualquer reprodução desta edição
por qualquer meio ou forma, seja ela eletrônica ou mecânica,
fotocópia, gravação ou qualquer outro meio de reprodução,
sem permissão expressa do editor.

Coleção
FILOSOFIA ATUAL

BERNARD LONERGAN E O *INSIGHT*

MENDO CASTRO HENRIQUES

INTRODUÇÃO
FELIPE CHERUBIN

TRANSCRIÇÃO
DENNY MARQUESANI

é
REALIZAÇÕES

Este livro contém a transcrição do curso "Bernard Lonergan e o *Insight*", ministrado pelo professor Mendo Castro Henriques no Espaço Cultural É Realizações em abril de 2010. As pequenas alterações e adaptações do texto escrito, em relação às aulas que constam nos DVDs anexos, foram efetuadas pelo próprio autor.

Sumário

Nota do editor 9

Bernard Lonergan (1904-1984):
Uma breve apresentação 11

Filosofia de Bernard Lonergan. 17

Bernard Lonergan: Uma Filosofia da Liberdade
*Entrevista com o professor Mendo Castro Henriques,
por Felipe Cherubin.* 21

PARTE I

Bernard Lonergan 37

PARTE II

Insight 89

Nota do editor

Filósofo, escritor e palestrante, o professor português Mendo Castro Henriques é uma das mentes mais argutas a serviço da filosofia em língua portuguesa.

Estudioso de dois dos maiores filósofos do século XX – Eric Voegelin e Bernard Lonergan –, tem-se dedicado a traduções, pesquisa e divulgação desses pensadores.

Em 2008, a convite da É Realizações, o professor Mendo esteve em São Paulo ministrando o "Curso de Introdução à Filosofia Política de Eric Voegelin", no auditório da É, que resultou no volume *Filosofia Política em Eric Voegelin: Dos Megalitos à Era*

Espacial, que acompanha o DVD do curso, assim como sua transcrição.

Em 2010, foi a vez de Bernard Lonergan.

BERNARD LONERGAN (1904-1984):
UMA BREVE APRESENTAÇÃO

Bernard Joseph Francis Lonergan nasceu em 17 de dezembro de 1904, em Buckingham, Quebec, Canadá. Em 1922, após quatro anos no Loyola College, de Montreal, entrou na Companhia de Jesus em Guelph, Ontário. De 1926 a 1930, estudou filosofia, línguas e matemática no Heythrop College e na Universidade de Londres, Inglaterra.

Seus quatro anos de estudos teológicos, como exigido pelos jesuítas, foram feitos na Universidade Gregoriana, em Roma, de 1933 a 1937. Seguiram-se dois anos de estudos de doutoramento em teologia na Universidade Gregoriana e, a partir de então, começou a ensinar teologia no Collège de l'Immaculée Conception, em Montreal, em 1940. Lonergan ensinou no seminário dos jesuítas em Toronto de 1947 a 1953, e depois na Universidade Gregoriana de 1953 a 1965. Seu primeiro grande livro, *Insight: Um Estudo do Conhecimento Humano*, foi publicado em 1957.

De 1965 a 1975 foi professor de teologia no Regis College, em Toronto, e em 1972 publicou o seu há muito aguardado *Método em Teologia*. Nos anos de 1971-1972, foi Professor Stillman na Universidade Harvard e, em 1975, tornou-se Distinguished Visiting Professor de Teologia na Faculdade de Boston.

Lonergan voltou para o Canadá em finais de 1983 e morreu na Enfermaria Jesuíta de Pickering em 26 de novembro de 1984.

No decurso de sua longa e ilustre carreira acadêmica, recebeu dezenove doutorados honorários e uma série de outras homenagens, incluindo a investidura como Companheiro da Ordem do Canadá, em 1971, e a nomeação como Corresponding Fellow da British Academy, em 1975. Foi, também, nomeado pelo papa Paulo VI um dos membros originais da Comissão Teológica Internacional.

Bernard Lonergan: Obras Completas

Lonergan é o autor de *Insight: Um Estudo do Conhecimento Humano* (1957) e *Método em Teologia* (1972). Em *Insight*, ele trabalhou naquilo que chamou de um método empírico generalizado; no *Método em Teologia*, mostrou como esse método elucida a estrutura e o processo de trabalho em teologia.

Embora esses sejam seus trabalhos mais conhecidos, sua produção literária se estende muito além dessas obras. A University of Toronto Press está atualmente em processo de publicação das obras completas de Bernard Lonergan, sob a direção geral de Robert M. Doran, da Marquette University, e Frederick E. Crowe, com a colaboração de Robert C. Croken, Michael G. Shields e Daniel H. Monsour, do Instituto de Pesquisa Lonergan de Toronto. A generosa contribuição da Fundação Charitable Malliner tornou possível a produção de toda a série, que será composta por 25 volumes.

Títulos já publicados:

1. *Grace and Freedom: Operative Grace in the Thought of St Thomas Aquinas*, eds. Frederick E. Crowe e Robert M. Doran (2000).

2. *Verbum: Word and Idea in Aquinas*, eds. Frederick E. Crowe e Robert M. Doran (1997).

3. *Insight: A Study of Human Understanding*, eds. Frederick E. Crowe e Robert M. Doran (1992).

4. *Collection*, eds. Frederick E. Crowe e Robert M. Doran (1988).

5. *Understanding and Being*, eds. Elizabeth A. Morelli e Mark D. Morelli (1990).

6. *Philosophical and Theological Papers 1958-1964*, eds. Robert C. Croken, Frederick E. Crowe e Robert M. Doran (1996).

7. *The Ontological and Psychological Constitution of Christ*, trad. Michael G. Shields, eds. Frederick E. Crowe e Robert M. Doran (2002).

10. *Topics in Education*, eds. Robert M. Doran e Frederick E. Crowe (1993).

11. *The Triune God: Doctrines,* ed. Robert M. Doran, Daniel Monsour e Michael G. Shields (2009).

12. *The Triune God: Systematics*, trad. Michael G. Shields, eds. Robert M. Doran e H. Daniel Monsour (2007).

15. *Macroeconomic Dynamics: An Essay in Circulation Analysis*, eds. Frederick G. Lawrence, Patrick H. Byrne e Charles C. Hefling, Jr. (1999).

17. *Philosophical and Theological Papers 1965-1980*, eds. Robert C. Croken e Robert M. Doran (2004).

18. *Phenomenology and Logic*, ed. Philip J. McShane (2001).

20. *Shorter Papers*, eds. Robert C. Croken, Robert M. Doran e H. Daniel Monsour (2007).

21. *For a New Political Economy*, ed. Philip J. McShane (1998).

22. *Early Works on Theological Method I*, eds. Bernard Lonergan, Robert M. Doran SJ e Robert C. Croken (2010).

Títulos a serem publicados:

8. *The Incarnate Word*

9. *The Redemption*

13. *A Second Collection*

14. *Method in Theology*

16. *A Third Collection*

19. *Early Latin Theology*

23. *Early Works on Theological Method II*

24. *Archival Material*

25. *General Index*

Filosofia de Bernard Lonergan

Bernard Lonergan é considerado por muitos como uma das grandes mentes filosóficas e teológicas do século XX. Nesta introdução inicial, adaptada de um texto que Robert Doran escreveu há alguns anos, podemos nos concentrar em três pontos principais.

(1) O que estou fazendo quando estou conhecendo?

Os primeiros onze capítulos do livro *Insight*, de Lonergan – sua obra-prima –, são uma tentativa de responder a essa pergunta. Por que ele fez essa pergunta? Há pelo menos duas razões:

(A) Para fornecer o que ele chamou de um "terreno comum" em que as pessoas pudessem conhecer umas às outras, ou seja, o terreno comum das operações através das quais elas se apropriam de sentido e verdade; e (B) para fornecer o que é, provavelmente, uma solução para a fragmentação do conhecimento – não por tentativa de integrar o conteúdo do conhecimento, o que não é possível, mas reconhecendo as mesmas operações de experimentar, compreender e julgar em todos os campos. Esse reconhecimento, que Lonergan mostra em *Insight*, traz uma unidade surpreendente ao conhecimento e à busca do entendimento em todos os campos. Ela nos ajuda a relacionar as "ciências duras", como a matemática, a física e a química , às ciências da vida e relaciona todas à filosofia, psicologia, artes e teologia.

A chave é o ato de intelecção (*insight*). Lonergan está buscando uma intelecção dentro da intelecção em si. Ele escreve: "(...) to grasp it in its conditions, its working, and its results is to confer a basic yet startling unity on the whole field of human inquiry and human opinion".

(2) Que diferença isso faz?

A partir do estudo da intelecção, Lonergan aborda alguns dos principais desafios do nosso tempo, que estão, de uma forma ou de outra, relacionados aos preconceitos que interferem nas operações de experimentar, compreender e julgar. Então, ele não apenas nos mostra os diferentes tipos de intelecções, mas também exibe os diversos tipos de preconceitos que interferem nas intelecções e nos impedem de permanecer atentos, inteligentes, razoáveis e responsáveis. É o preconceito psíquico que emerge do trauma; o preconceito individual do egoísta; o preconceito do grupo das classes privilegiadas; o preconceito generalizado que todos nós temos contra fazer as perguntas difíceis e enfrentar as questões finais da existência e as consequências a longo prazo de nossas ações. Todos esses pontos são explicados detalhadamente em seu trabalho.

Outra diferença é que a partir de seu estudo do experimentar, compreender e julgar, e (para adicionar outro conjunto de operações) do decidir (E-C-J-D), Lonergan continua a mostrar-nos como diferentes disciplinas acadêmicas podem ser "mapeadas" de acordo com o que ele chama de especialidades funcionais: a cada nível de consciência (E-C-J-D) corresponde um conjunto de operações, tanto para a compreensão da história anterior da disciplina quanto para mover-se criativamente para o futuro.

(3) Isso é tudo o que existe?

Muitos dos problemas mais urgentes do nosso tempo têm a ver com a religião. A religião está no coração de uma grande dose de violência e perseguição. Também é a melhor fonte de grande parte do que é bom no mundo humano. Existe alguma maneira de discriminar fé da religião autêntica? Existe uma maneira de oferecer um terreno para o diálogo inter-religioso, na busca da paz? Estas são questões às quais Lonergan deu atenção crescente em seus últimos anos de vida.

Lonergan não apenas ampliou os estudos nos campos da teologia e filosofia. Ele também aplicou seus princípios à economia. Muitas pessoas que tiveram a experiência da leitura dos escritos de Lonergan são unânimes: "Isso vale uma vida".

Fonte: Arquivos Lonergan
Bernard Lonergan Archive – Resources in Lonergan Studies
http://www.bernardlonergan.com/biography.php

Bernard Lonergan:
Uma filosofia da liberdade

*Entrevista com o professor
Mendo Castro Henriques,
por Felipe Cherubin*

A melhor forma de introduzir um grande pensador como Bernard Lonergan é ouvir as palavras daquele que dedicou muito tempo ao estudo de sua filosofia. Esse é o caso do professor Mendo Castro Henriques, que esteve em São Paulo nos dias 8, 9 e 10 de abril de 2010 a convite do editor da É Realizações – Edson Manoel de Oliveira Filho – para o lançamento de três livros: *A Revolução Voegeliniana*, de Ellis Sandoz, e dois de sua autoria – *A Filosofia*

Civil de Eric Voegelin e Bernard Lonergan: Uma Filosofia para o Século XXI. Esses eventos foram encerrados com um curso sobre o filósofo canadense e o plano de lançamento do livro *Insight*, primeira obra de Lonergan traduzida para o português. No domingo, dia 11 de abril, encontrei-me com Mendo Castro Henriques na sede da Editora É, onde me foi concedida esta entrevista em que Mendo, pouco antes de voltar para Lisboa, traçou uma breve introdução aos principais aspectos do pensamento lonerganiano.

1) Na introdução de seu livro Bernard Lonergan: Uma Filosofia para o Século XXI, *o senhor afirma que Bernard Lonergan é, provavelmente, um dos mais importantes filósofos do século XX, tendo desenvolvido uma verdadeira filosofia para o século XXI. Como o senhor explica essa afirmação?*

A palavra mais importante nessa afirmação é a palavra "provavelmente", porque o conceito de probabilidade é uma chave para o pensamento aberto, é uma chave para nós não termos pensamento único, para não estarmos convencidos de que as nossas soluções teóricas são soluções definitivas. Então, como acontece com os inovadores em filosofia, Lonergan teve que criar sua problemática, teve que criar sua linguagem própria, e isso leva tempo até ser conhecido numa época de alguns bloqueios culturais, mas ao mesmo tempo de grande liberdade de expressão, como foi a segunda metade do século XX, pelo menos nos países ocidentais, entre o Canadá, os Estados Unidos e a Europa livre. Isso não quer dizer que não estivesse atento aos desenvolvimentos nas sociedades não ocidentais. O que sucede é que, ao contrário e à parte das escolas filosóficas do século XX, Lonergan sobrevoou e tinha conhecimento direto de várias delas, um pouco na linha em que o filósofo Inácio Maria Bochenski escreveu em seu livro *A Filosofia Contemporânea na Europa*: em vez de escrever uma história da filosofia linear, optou por temáticas. Portanto, nós temos escolas que se orientam na matéria e o marxismo é importante nesse contexto. Escolas ligadas à interpretação. Escolas ligadas à filosofia da vida, como Bergson e Michel Henry. Filosofias da essência com origem, sobretudo, em Edmund Husserl, Max Scheller, Levinas, Martin Heidegger. Depois as filosofias da existência com Sartre, Camus, entre outros. Então, temos as filosofias do Ser com reflexões dos neotomistas ou aquelas mais próprias como a de Nicolae Hartmann, por exemplo, e assim por diante. Lonergan, nessa hierarquia, se assim se pode dizer, acaba por ter uma filosofia do Ser e não é possível ter uma filosofia do Ser sem passar pelas outras cadências.

Então, o que acontece do ponto de vista da reflexão filosófica é que aqui há uma espécie de escada. Os degraus vão sendo percorridos e quem está no degrau de baixo não consegue ver os degraus seguintes, mas quem está nos degraus de cima percebe a importância da extensão da subida, o que, aliás, é um velho princípio da dialética platônica. É isso que torna Lonergan, provavelmente, um dos filósofos mais importantes, pois criou uma abordagem da filosofia que respeita cada um desses graus de ser, ou graus de realidade, e encontra para cada um deles formas típicas de compreensão.

2) E quanto à classificação da filosofia contemporânea entre filosofia continental e analítica? Seria essa uma classificação arbitrária?

Essa é uma classificação completamente provinciana. O que é um provinciano? É uma pessoa que só admira o que é grande, que tem tendência a só julgar que o globalismo está certo e que o localismo errado, ou que tudo o que o estrangeiro pensa é certo e também o contrário. Lonergan (e também Voegelin) nada tem de provinciano. Essa classificação é extremamente limitada. O que interessa à filosofia, aliás, é impedir o *apartheid* que também existe nas escolas filosóficas, porque tem fenomenólogos que dizem "ah, esse existencialismo é bobagem", tem ontólogo que diz "essas questões da filosofia da matéria são ideologia", etc. – são estereótipos que são atirados nas caras uns dos outros entre as escolas. Lonergan está completamente fora desse paroquialismo, desse *apartheid* entre escolas. Quando se faz reflexão filosófica, percebe-se que o importante não é o método ou a escola escolhida, mas a busca pela verdade. Aliás, Gadamer escreveu o livro *Verdade e Método* para demonstrar isso mesmo: que as coisas ocorrem mal quando colocamos o método à frente da pesquisa.

3) E hoje há uma tendência em fazer filosofia sem ter nenhum problema em vista...

Sim. Como diria Bergson, "em filosofia os problemas bem colocados são os problemas resolvidos". Marx, curiosamente, também disse: "A humanidade só coloca os problemas que sabe resolver".

4) Em geral, qual foi a formação filosófica de Bernard Lonergan?

É relativamente convencional. Começou por ler os curtos diálogos platônicos. Depois, dados seus interesses religiosos, leu parte das obras de Santo Agostinho e Santo Tomás de Aquino. Leu Kant muito a sério e com isso compreendeu a importância da filosofia moderna e do lugar central do sujeito na filosofia moderna de Descartes a Kant. Conhecia o tomista Jacques Marechal, que faz uma aproximação com o kantismo. Nessa linha, de alguém que conhecia as origens da filosofia desde os pré-socráticos, soube entender o filtro de uma filosofia crítica que explora os recursos e limites do sujeito humano e a evolução das nossas questões na contemporaneidade. Quando ele começa a escrever *Insight*, que é um tratado muito sistemático de todas as questões filosóficas, ele consegue dar uma ordenação muito simples, dividindo claramente em duas partes uma obra com vinte capítulos. Os dez primeiros capítulos, no fundo, tentam responder a esta pergunta: "o que sucede quando estou a conhecer?", isto é, quando eu pratico atos de compreensão, ou de intelecção, ou de *insight* – como eu posso desconstruir esses atos de intelecção? E a segunda parte responde à pergunta: "o que eu conheço quando isso sucede?". Então, se eu me apropriei do modo como se estrutura o nosso conhecimento, eu tenho uma orientação para saber o que posso conhecer sobre as coisas mesmas, como orientar a ação e assim sucessivamente. Então, essa estrutura extraordinariamente simples e genial que Lonergan deu ao *Insight* o permite sobrevoar questões muito complexas da história da filosofia, dando uma resposta correta, que ele foi aprimorando em obras posteriores.

5) Como encaixar a importância e a originalidade da obra Insight *dentro da tradição dos estudos de teoria do conhecimento como os dos racionalistas (Descartes, Spinoza e Leibniz), dos empiristas (Locke, Berkeley e Hume) e da tradição do senso comum (Thomas Reid) e da filosofia crítica (Kant)?*

Pode-se dizer que numa copa de futebol há vários times que podem ganhar o campeonato, mas todos eles têm praticado um futebol semelhante. Esses grandes nomes que você citou são as equipes da filosofia do conhecimento, podemos considerá-los conforme nossos pontos de partida, podemos preferir um ou outro, contudo eles estão todos na mesma copa, no mesmo campeonato. *Insight* não é apenas uma obra sobre o conhecimento humano, embora seu subtítulo seja "um estudo do conhecimento humano", e sem dúvida a primeira parte de *Insight* é isto: um estudo das características da consciência e do sujeito conforme análise dos vários tipos de conhecimento – conhecimento do senso comum, conhecimento científico e, depois, o conhecimento filosófico. Mas a segunda parte é também uma obra de filosofia fundamental, de ontologia – aliás, os títulos dos capítulos como "Os Elementos", "As Coisas", "O Juízo" são títulos de filosofia fundamental e mesmo metafísica, termo que ele emprega ao longo da obra – e, finalmente, ética, e sobre uma região especial do Ser, que é o Ser divino. Então, o escopo é maior do que a gnosiologia. Kant, por exemplo, fez uma obra sobre a razão teórica e depois teve que complementar com uma obra sobre a razão prática e finalmente sobre a faculdade de julgar. Em *Insight* você tem dois em um – é ao mesmo tempo uma crítica da razão teórica e da razão prática, porque essa separação é secundária do ponto de vista lonerganiano, do ponto de vista de sua teoria da consciência como participação do ser. O que acontece com Lonergan é que ele pode ser posto, sem dúvidas, a par de outras filosofias da consciência como as de Eric Voegelin, René Girard, com aspectos de Albert Camus e de outros autores como Xavier Zubiri, Michel Henry e Edmund Husserl.

6) As noções de "conhecer" e "desejo" são fundamentais no Insight. *Como você explica essas noções na obra do filósofo canadense?*

Como qualquer aprendiz de filósofo. Filosofia significa desejo de conhecer, significa amor e amizade pelo saber. Essa marca original nunca desapareceu –

impacienta, às vezes, algumas pessoas com espírito muito técnico e objetivo que acham que ela é uma desculpa para alguma subjetividade ou mesmo discurso quase poético, metafórico, dos filósofos. Mas como demonstrou Paul Ricoeur no excelente livro *A Metáfora Viva*, o movimento hermenêutico que nos leva a construir conceitos e a fixá-los de uma maneira rígida, por exemplo, como os conceitos matemáticos, é o mesmo movimento que nos leva a desconstruir os conceitos como fazem os poetas ao usar metáforas e imagens abrindo a nossa imaginação para novos campos da realidade. Do ponto de vista de Lonergan, isso significa que a consciência humana é uma só – estejamos a conhecer com mitos, estejamos a conhecer com o senso comum, estejamos a conhecer com a ciência, estamos sempre a conhecer as realidades de maneiras claramente diferentes – e isso ocorre também com a experiência religiosa. Não podemos é misturar esses vários tipos de conhecimento. Então, o *Insight* é uma teoria geral sobre os vários tipos de conhecimento e o conhecimento humano funciona segundo critérios claramente diferenciados que têm que conviver em rede. Nós estamos no século da internet e a imagem da internet, da rede, é uma das imagens mais poderosas do nosso tempo para compatibilizar formas distintas de conhecimento. O *Insight* é, portanto, um estudo sobre os vários tipos interdependentes do conhecimento humano que, através dos preceitos transcendentais, nos exigem ser atentos, inteligentes, racionais e responsáveis, e isso dá o alcance que está além da filosofia convencional.

7) É possível identificar fases ou grandes temas durante a evolução da filosofia de Lonergan?

Há sempre uma variedade e uma evolução em alguém que viveu oitenta anos e que tinha essas preocupações todas. Temos que ter em conta que Lonergan foi também um teólogo, mas nessa sua reflexão teológica tinha, de certa forma, uma vida própria, era autossuficiente por um lado. Todavia, ao mesmo tempo ele tinha um problema metodológico enquanto teólogo, ou seja, ele tinha que organizar um conjunto de conhecimentos e esse problema metodológico ultrapassava a própria teologia. Num livro que tem como título *Método em Teologia*, essa investigação, no fundo, é muito mais do que isso, é uma teoria geral da interpretação – alguns autores anglo-saxônicos de viés analítico usam a expressão "método empírico generalizado". O que Lonergan faz de fato, seja seu ponto de partida a teologia, seja o conhecimento científico, ou seja, o senso comum, é ir procurar as estruturas invariantes do ato de compreensão – o nome que ele utiliza, aliás, é "estruturas heurísticas", que significam simplesmente estruturas de investigação, estruturas de pesquisa que são abertas por natureza e que se relacionam com a característica probabilística que ele considera ser característica da própria realidade, dos próprios eventos. Então, no fundo, ele está a propor uma filosofia aberta para uma realidade aberta. *Open reality*, *open society* e *open thought*, precisamente, porque não pode haver aqui um fundamentalismo filosófico.

8) Lonergan entende a realidade como probabilidade emergente. O que isso significa?

Isso é um mantra que ele utiliza e depois explica divinamente. Em termos simples, significa que ao se confrontar com concepções antigas, e nesse sentido antiquadas, de que o mundo era como que um organismo, um ser vivo – como hoje acreditam concepções *new age*, Projeto Gaia –, ou concepções mecanicistas de que o mundo é uma máquina, um relógio, Lonergan defende o mundo como uma rede interativa em que aos eventos possíveis correspondem graus diferentes de probabilidade. Por exemplo, por que desapareceram os dinossauros? Como se sabe é uma questão de que não se conhece uma resposta definitiva. Outra pergunta é: por que apareceram? A resposta teórica é simples: são graus de probabilidade distintos. Quando Darwin escreve *A Origem das Espécies*, como nos diz Lonergan, está a apresentar um dos primeiros exemplos de pensamento probabilístico, porque está a atribuir a dois princípios distintos – o princípio da variação casual das espécies e o princípio da sobrevivência dos mais aptos –, está a criar ou descobrir critérios para definir que há espécies que vão aparecer e outras que vão desaparecer. Segundo Lonergan, os vários ramos da ciência contemporânea, a biologia, mas também a física, e depois as ciências sociais como a sociologia e a economia, chegaram a esse aprimoramento de perceber que nós conseguimos fazer não só leis sobre a natureza dos fenômenos, como Newton, Lavoisier e todas as ciências clássicas, mas também conseguimos fazer leis sobre a probabilidade da ocorrência dos fenômenos e é isso o que caracteriza a microfísica, as teorias da relatividade, ou ciências aparentemente mais modestas como a meteorologia, ou extremamente ambiciosas como a própria economia, que já lidam com a ação humana. Não há uma separação radical entre fenômenos ou eventos da natureza e eventos humanos, ambos são eventos com grau de probabilidade. A diferença é que no evento humano cria-se uma pilotagem própria através da consciência e liberdade.

9) O senhor coloca a filosofia de Lonergan como uma filosofia da liberdade. Como Lonergan encara o clássico problema entre livre-arbítrio e determinismo?

Essa é uma questão clássica da filosofia e garante teses de doutoramento para muitos professores pelos próximos cinco séculos ou cinco milênios, pois ela pode ser sempre tratada de muitas maneiras. Mas independentemente desse aspecto convencional, Lonergan é um filósofo da liberdade porque a sua ética, e a sua estética também, assenta muito na ideia do desejo de alcançar uma realidade, o desejo de conhecer a realidade e, do ponto de vista ético, esse desejo só se satisfaz com o alcance de um bem. O objetivo da ética é libertarmo-nos para alcançarmos um bem; o objetivo da estética é libertarmo-nos para fruirmos enquanto somos apreciadores ou para criarmos enquanto somos artistas também um bem que aumenta nosso horizonte, nos dá maior prazer e até nos permite partilhar com os outros. Por exemplo, a experiência religiosa não é imposição de princípios ou dogmas, mas, segundo Lonergan, é a libertação de potenciais de realização desconhecidos que a pessoa compreende que não se encerram e não estão contidos em si próprios, mas configuram um ato de relação a um ser melhor que nós. Por tudo isso, o legado e aprendizado de Loneragan e dos lonerganianos,

25 anos depois de sua morte, é a consciência de que liberdade não é libertinagem, que liberdade não é ser gratuitamente contra a ordem numa atitude infantilmente permissiva. Portanto, estamos aqui claramente diante de uma filosofia da liberdade.

Felipe Cherubin é jornalista, formado em Direito e Filosofia. Cursou Filosofia na Harvard Extension School e foi colaborador do jornal O Estado de S. Paulo *e das revistas* Cult *e* Dicta & Contradicta.

PARTE I
BERNARD LONERGAN

BERNARD LONERGAN

Muito boa tarde a todos! Estão aqui alguns dos presentes no dia 8, quando foi feita a apresentação da minha obra sobre Bernard Lonergan, *Uma Filosofia para o Século XXI*, que é como o café da manhã, após o qual, como o Edson disse, "vai surgir a refeição principal, um dos clássicos da filosofia do século XX, *Insight: Um Estudo do Conhecimento Humano*".

Bernard Lonergan é uma personalidade que quase não tem biografia, a não ser as suas investigações. A sua vida é um reflexo das atividades de formação e de docência, com viagens pela Europa e estadas na Inglaterra, França, Itália e, esporadicamente, em outros países, e depois, com mais detença, nos Estados Unidos e no Canadá, de onde era originário.

Não é preciso deslocar-se a uma grande metrópole para fazer trabalho relevante em filosofia. Aristóteles foi durante muitos anos acusado de ser proveniente de uma obscura cidade helênica, Estagira, que nem era uma cidade propriamente grega, mas sim trácia. Aqueles que leram *A República* lembram-se de que o diálogo começa quando Sócrates desce ao Pireu com seu amigo Gláucon e assiste a duas procissões, a dos atenienses e a dos trácios, que ainda eram considerados semibárbaros. Ambas apresentavam igual valor, o que nos faz pensar – é o que Platão nos quer transmitir com seu jogo dos símbolos – que ou os trácios estavam já no nível dos atenienses ou os atenienses estavam a descer para o que, supostamente, seria um padrão inferior, ou, então, tinham-se encontrado algures a meio caminho.

Sendo a interculturalidade um fenômeno de há dois mil e quinhentos anos, visto que estamos a falar de Platão, Sócrates e Aristóteles, a mesma interculturalidade marca este filósofo de origem canadense, que nasceu numa província de língua francesa, que é o Quebec, que estudou na Inglaterra, que foi professor na Itália, nos Estados Unidos e no seu país de origem. Um dos grandes centros de estudo de Bernard Lonergan é, aliás, o Instituto Thomas More, em Montreal, no Quebec. Este conjunto de experiências colocou-o a par do que havia de melhor na filosofia europeia, estando ele também atento à tradição anglo-americana do *common sense*; estava, ainda, extremamente atento aos desenvolvimentos nas ciências exatas e nas ciências humanas e, naturalmente, na teologia.

Embora, como eu disse, a biografia dele não seja muito agitada, encontrou tempo para digerir poderosas, complexas e interessantes novidades científicas, literárias, historiográficas e teológicas. A sua atividade profissional era a de professor de teologia, de filosofia e de economia, vertentes que juntas se acham raramente. Pertencia à Companhia de Jesus, uma congregação católica de grande pujança e que os portugueses ajudaram a fundar e, depois, ajudaram a extinguir, temporariamente. A ação do marquês de Pombal é bem conhecida aqui no Brasil; como ele começou por extinguir as Reduções do Paraguai, administradas por jesuítas, depois obrigou o próprio pontífice a extinguir a sociedade, durante muitos decênios proibida nos países da Europa Ocidental. A Companhia só se reconstituiu plenamente no século XX, e foi o padre Pedro Arrupe S.J., depois geral da Companhia, que transmitiu o primeiro testemunho de um ocidental sobre o bombardeamento atômico de Nagasaki em 1945.

Alguém como Bernad Lonergan, com grande discrição exterior, mas com uma enorme atividade intelectual e espiritual, pode ser abordado de ângulos muito diferentes. Nesta minha introdução, interessa-me Lonergan como filósofo, epistemólogo, ético e economista, o que significa que ele percorreu a escala dos saberes, em que os vários degraus correspondem a conhecimentos variados. De fato, não é muito habitual termos um autor que, ao mesmo tempo, debate questões ontológicas e matérias financeiras, ou a questão do Verbo Divino e da graça operativa e outros assuntos teológicos, exigindo tratamento de fontes muito heterogêneas e diversidade de métodos. Lonergan estava creditado pelo fato de ser professor na Universidade Gregoriana de Roma, uma das universidades pontifícias que tem a custódia dos estudos doutrinários da Igreja Católica, Apostólica e Romana. Naturalmente, não se chega lá a professor sem um *curriculum* teológico exigentíssimo e, como se diz em Portugal, "e aos costumes disse nada", ou seja, não há nada a dizer senão bem quanto à retidão moral. Nessa universidade, Lonergan era professor de duas disciplinas que são o cume do curso teológico – Mistério de Deus e Cristologia –, aquelas em que se exige maior densidade metafísica e maior investimento em conceitos adjuvantes da doutrina cristã. Mas isso não vai ser o objeto destas palestras.

Desde o princípio da sua vida de investigador e a par da sua carreira de teólogo, Lonergan seguiu uma orientação de filósofo, como afirma numa sua frase que coloquei no final de meu livro: "O problema do conhecimento com que se confronta o ser humano já não é só uma preocupação individual inspirada por um sábio da Antiguidade. Tomou as dimensões de uma crise social e é lícito ver nele o desafio existencial do século XX". Para não macular a frase, eu só comentei: "... E também do século XXI". Ou seja, o autoconhecimento, o ganhar consciência da nossa presença como seres racionais e preocupados não é um problema meramente individual: é um problema que tem as dimensões da sociedade. O autoconhecimento não é algo que se resolva dentro das portas de nossa casa, ou isolado numa escola, ou sequer na praça pública. O conhecimento de nós próprios é algo que exige ser debatido, dialogado e partilhado. E isso Lonergan sabia fazer de uma forma extraordinária e com paciência insondável. Para ler o que ele leu, desde escolásticos pouco estimulantes, até autores com a rotina dos tratados científicos, tinha de ser um "monstro" de paciência. E uma maneira de apresentar Lonergan é, aliás, afirmar a exigência de que é preciso ser muito paciente para se chegar a resultados. Mas, como sabem, essa é a biografia de todos aqueles que fazem descobertas... A persistência, a perseverança, a paciência são sinais de inteligência porque significam que a pessoa definiu um horizonte e um objetivo e não desiste de alcançá-lo enquanto não dá todos os passos para alcançá-lo.

A palavra *insight* ressalta desde cedo no pensamento de Lonergan, desde que estudou a geometria de Euclides, num dos primeiros trabalhos de pesquisa que realizou. Numa nota sobre o modo de pensar, ele releva a importância dos estudos de um autor e cardeal católico, um anglicano convertido ao catolicismo na Inglaterra no século XIX, o cardeal [John Henry] Newman. Este tem uma obra muito interessante, *A Gramática do Assentimento*, em que é importante a noção do *insight*, podendo-se traduzir em português por "intelecção". Após muitas tentativas de pesquisar equivalências de *insight*, como por exemplo evidência, inteligência, descoberta, intuição, o termo "intelecção" condiz bem com o alcance noético do termo. Lonergan utilizou o *insight* como uma alavanca do pensamento; mas uma alavanca é para fazer um trabalho, não é para ficarmos a olhar para ela. Na segunda parte desta nossa conversa, iremos debruçar-nos especificamente em como esse seu *opus magnum* serve de alavanca para fornecer um panorama da realidade.

O pensamento de Lonergan contém uma teoria da consciência e uma teoria do conhecimento. A sua obra não é excessivamente volumosa se a compararmos com a de outros autores que redigiram dezenas de livros. A coleção que faz autoridade sobre o seu pensamento, editada pela Universidade de Toronto, *Coleção das Obras Seletas*, tem cerca de 25 volumes e poucos são tão volumosos quanto o *Insight*, que, nas suas cerca de 800 páginas nas edições usuais, é um verdadeiro "tijolo" para edificar o saber, um "tijolo metafísico".

Como acontece com os grandes nomes da filosofia, também Lonergan não fez uma programação do que ia escrever; não estava aos vinte anos a dizer: "Já sei o que vou dizer aos trinta, e depois aos quarenta, e aos cinquenta, e aos setenta". Não se faz a filosofia com "planos quinquenais". Muitos dos grandes nomes da filosofia apresentam rupturas, desvios do caminho inicial, reconversões dos métodos e retomadas de temas que tinham tratado antes de outra maneira; a variedade é maior do que a linearidade. E por quê? Porque uma das características da criatividade, e a sua única obrigação, é apresentar resultados, não é seguir uma gramática nem uma bitola. Por isso, apesar de interessado em estudos teológicos ao longo da vida, Lonergan não teve os seus primeiros interesses em teologia, mas sim em ciências; e quando tinha aproximadamente 30 anos, escreveu em 1935 a um seu superior dentro da congregação:

> Consigo elaborar uma filosofia fundamental tomista da história que ofuscará Hegel e Marx, apesar da enorme influência deles nessa obra. Tenho já escrito um esboço disso como de tudo o mais. Examina as leis objetivas e inevitáveis da economia, da psicologia (ambiente, tradição) e do progresso (...) para encontrar a síntese superior dessas leis no Corpo Místico.

Não é pouco! Dizer que vai ultrapassar as filosofias de Hegel e Marx, que tratará de economia e psicologia e que termina no Corpo Místico de Cristo! O superior com certeza ficou assustadíssimo e disse: "Bom, tenha lá cuidado, arrefeça os neurônios, é melhor não exagerar! Não é?".

Essa filosofia fundamental de que ele aqui fala nunca apareceu em um livro único que seja o resumo do seu pensamento. O que mais se aproxima é *Insight* e mesmo assim não se pode dizer que esteja tudo lá. O pensamento de Lonergan espraia-se por obras diversas, que formam conjuntos autonomizados, da economia à teologia e à hermenêutica em geral.

As suas obras de caráter pedagógico – em particular *Tópicos sobre a Educação* – são interessantíssimas porque resultam de um *tête-à-tête* com professores do Ensino Médio com quem vai dialogando interiormente, preocupado com o conteúdo que um professor ensina, com o que se está a passar na mente dos alunos e, muito importante para um professor, com o que os alunos estão a passar ao ensinante. Para além das instruções, informações e conteúdos em que consiste o ensino, importa que este vá despertando a consciência do aluno. Porque o relevante no ensino não é transmitir informações, e sobretudo a filosofia não se faz com uma informação: "Espere aí, eu tenho aqui no bolso qualquer coisa que agora vai resolver seus problemas...!". A filosofia faz-se transmitindo uma atitude para que depois a própria pessoa, com os seus recursos, se aproprie – uma palavra importante em Lonergan, pois o *Insight* consiste na apropriação dos métodos de intelecção – da capacidade de intelecção que o levará a encontrar as respostas procuradas, se tiver paciência, talento e, em alguns casos, ajuda.

Lonergan teve uma carreira acadêmica que não o preocupou demasiado, como registram os biógrafos principais que o conheceram pesssoalmente, com cerca de trinta anos menos do que ele. Dois deles felizmente estão ainda vivos, os canadenses Frederick E. Crowe e Robert M. Doran. Na carreira acadêmica, Lonergan defendeu a sua tese de doutorado na Universidade Gregoriana de Roma, com um estudo magistral sobre o conceito da graça operativa em Tomás de Aquino. Trata-se de uma obra de teologia, mas já com a sua marca, pois destaca duas condições para tratar do conceito de graça operativa: por um lado, os insondáveis mistérios divinos da onipotência e onisciência; por outro lado, a liberdade humana.

Isso é muito importante, pois Lonergan é um pensador da liberdade. O fato de ele ser jesuíta pode ser mal visto em alguns setores ideológicos, mas é bom lembrar a esses setores ideológicos onde estão as raízes da liberdade. Onde estão as raízes de um pensamento libertador? Em boa parte estão no próprio cristianismo, no conceito de pessoa. E só para dar um exemplo dos dias de hoje, estão a crescer as conversões ao cristianismo na China, Pequim. Por exemplo, só na Universidade Portuguesa de S. José em Macau – um território português na China até 1999, e o último possuído pelos impérios europeus – estudam centenas de seminaristas chineses. À escala chinesa, o cristianismo é entendido como um personalismo. Para um chinês que vem das tradições confucionistas que salientam a coletividade e a norma social, ou que não vem de tradição nenhuma porque está desculturado por setenta anos de ideologia comunista e agora por ideologia *soft*, que permite a fórmula "um país, dois sistemas", o cristianismo tem um sentido de libertação pessoal: "Eu sou uma pessoa, e não apenas uma parte da célula familiar, do grupo ou do regime".

Estão já a aparecer os primeiros estudiosos chineses de Lonergan, além dos estudiosos na Índia e no Japão que já havia, muitas vezes ligados à Sociedade de Jesus e por vezes lusodescendentes. Lonergan é também muito conhecido em alguns países africanos, como Gana e Quênia, onde, além dos jesuítas, operam congregações missionárias católicas, como os dehonianos e espiritanos, que não têm o passado de um Tomás de Aquino, um de Duns Escoto ou um Guilherme de Occam. Assim, vão buscar as obras de Lonergan para a formação dos seus alunos. Na Europa, o *Insight* foi já traduzido para alemão, francês, italiano, espanhol e polaco; vamos ter agora a nossa tradução em língua portuguesa, do Centro de Estudos de Filosofia da Universidade Católica Portuguesa; e na América Latina há também núcleos de grande interesse em Lonergan, nomeadamente no México e na Colômbia.

Isso significa que estamos perante um autor com uma divulgação cosmopolita. *Cosmópole*, aliás, é um termo muito caro a Bernard Lonergan, e ele o utiliza repetidamente, em particular no capítulo VII do *Insight*, mais exatamente no ponto 7.6. Se metrópole é a grande cidade, cosmópole é a cidade do mundo, ou cidade global; para Lonergan, é uma maneira de indicar que a filosofia não pode ser paroquial, nem nacionalista, o que não quer dizer que não apresente variações nacionais; deve haver um equilíbrio entre o uno e o múltiplo; a filosofia é cosmopolita porque é uma, mas tem variantes nacionais configuradas pelas linguagens e pelos idiomas; a vantagem de nós estarmos aqui, portugueses e brasileiros, é que partilhamos uma mesma língua, e uma língua é mais que um instrumento, pois traz consigo uma poderosíssima herança cultural. Ao aprendermos um idioma, e se o sistema educativo não nos deformar, estamos a apreender também um universo, um conjunto de categorias e princípios que depois temos de aprimorar.

Lonergan parte de um universo anglo-saxônico num país com *low profile* – o Canadá – e sobre o qual nem existem propriamente estereótipos. Isso significa que o estigma nacionalista nele não existe. Por outro lado, ao fazer o seu périplo na Companhia de Jesus, Lonergan ligou-se à grande tradição cristã, universal ou "católica", pois foi assim que o imperador Teodósio definiu o cristianismo, como referente ao todo.

Como anglo-saxônico, suas primeiras leituras foram do cardeal Newman. Na linha do empirismo britânico, e talvez mais ainda do *common sense*, leu a filosofia de Thomas Reid, da escola escocesa, que está por trás de Adam Smith, o pai fundador da economia clássica, e de Edmund Burke, que fez primeiro o elogio e, depois, a crítica da Revolução Francesa, e que se colocou contra o seu próprio país, a Inglaterra, pois em nome da liberdade achava que os americanos tinham o direito à independência. Cito Adam Smith e Edmund Burke porque foram introduzidos na cultura portuguesa por José da Silva Lisboa, baiano, e mais tarde visconde de Cairú. Formado em Coimbra, era um bom exemplar da chamada "geração de 90", assim chamada por Kenneth Maxwell, isto é, a geração dos que em 1790 tinham cerca de 25 anos, a começar pelo rei D. João VI e que incluía Rodrigo e Domingos de Souza Coutinho, Antônio de Araújo, João Bonifácio de Andrade, Silvestre Pinheiro Ferreira, José Hipólito da Costa e outros. Esta digressão luso-brasileira serve para sugerir que um autor como Bernard Lonergan, canadense de origem anglo-saxônica, não se encerrou numa atitude provinciana. Como se diz em Portugal, "não era bairrista", ou como se diz no Brasil, "nem tupiniquim". Nem é pelo fato de ele provir de uma área anglo-saxônica que é relevante; é sempre possível essa abertura cosmopolita.

A tradição do senso comum tem origem aristotélica, como mostra Garrigou-Lagrange, mas pode ter uma variante empirista como sucede na Inglaterra. Nas obras de Lonergan, existe ainda a tradição da filosofia europeia continental de Kant, uma das figuras incontornáveis do idealismo alemão.

Pode-se organizar a filosofia como se organizam os "sete grandes da fauna africana". Kant fará parte dessa fauna filosófica, desses monstros sagrados da filosofia, talvez com Platão, Aristóteles, Tomás de Aquino, Descartes, Hegel... Será que Lonergan está neste *tableau de chasse*? Eu acho que ele é um grande *zoon logikon*, um ser vivo pensante.

A apropriação de Kant por Lonergan – e não se entende Hegel sem a tradição iniciada por Kant – significa uma atenção às capacidades do sujeito humano e um tipo de pensamento crítico que antes de se interrogar sobre o que são as coisas se interroga sobre o alcance do sujeito... As grandes perguntas que se colocam em termos filosóficos sobre o objeto – O que são as coisas? Qual é o nosso destino? Que mundos existem? Deus existe? – devem ser precedidas pelas perguntas: Quem sou eu? Quem fala dentro de mim? O que é a consciência? Quem é o sujeito?... Kant marca a história da filosofia porque mostrou que um filósofo tem de ter uma teoria crítica, tem de se interrogar sobre o alcance, os recursos e as capacidades que temos de conhecer a verdade para depois responder o que eu posso saber, o que é que eu devo fazer e o que devo esperar.

Em *Insight*, e de um modo geral em toda a filosofia de Lonergan, encontramos uma charneira que é o sujeito humano, a consciência. A primeira parte da meditação pergunta: *o que sucede quando eu estou a conhecer*? Lonergan pede-nos para parar e refletir: o que se passa quando eu conheço, ou seja, quando eu pratico o *insight*, quando tenho uma intelecção? E numa segunda parte da obra, articulada por essa charneira que coincide com o capítulo 11, ele pergunta: *o que posso eu conhecer quando isso sucede*? Se eu compreender bem o que é uma intelecção, o que é um *insight*, eu tenho um guia para saber que tipos de *insights* são verdadeiros e que tipos de *insights* não o são... O que não é *insight*, será *oversight*, pensamento errado, equívoco, enganador, etc.

Em outras palavras, há uma extraordinária simplicidade nesta abordagem; e sempre que nós encontramos um filósofo, nós encontramos uma mensagem central. Sócrates diz "conhece-te a ti mesmo", Platão procura o que são as ideias, Descartes procura identificar o *cogito*. Ora, o centro motivador de Lonergan é o papel do *insight*. Além das referências ao pensamento anglo-saxônico e à tradição do senso comum, e à filosofia idealista de Kant e Hegel, Lonergan foi um cultor dos clássicos gregos. No prefácio original do *Insight*, diz que os diálogos platônicos foram das primeiras obras que leu quando era jovem. Depois teria lido os *Diálogos Filosóficos* de Santo Agostinho. Não tem nada de extraordinário, e possivelmente algumas das pessoas presentes nesta aula e que se interessaram por filosofia já leram um ou mais desses diálogos platônicos e, como sabem, houve autores, como Alfred North Whitehead, que fizeram afirmações do gênero: "A filosofia ocidental não é mais do que um conjunto de notas de rodapé a Platão". Eu tinha um professor em Lisboa que se irritava com isso e dizia: "Mas Platão não é o patrão!". Quer dizer, há outros autores... Mas Platão foi uma espécie de Wikipédia dos gregos, não é? Quando era preciso saber qualquer coisa, ia-se diretamente a Platão e sabia-se o que pensava Parmênides e Heráclito, e outros pré-socráticos cujos pensamentos ele recolheu com muita dedicação.

Lonergan leu os gregos, leu-os no original, como um conhecedor do grego, mas não fez muito alarde disso. Ler originais é uma condição interessante e necessária, mas não suficiente para se chegar a um pensamento criativo, estimulante. E ao ler os gregos, sua filosofia ficou marcada por um interesse ontológico, pela questão do ser; não há filosofia sem ontologia. Claro que pode haver tentativas filosóficas que refutam a ontologia e conhecemos vários exemplos, até dominantes, do pensamento relativista e neopositivista, que se chama a si próprio crítico, mas que às vezes é um bocadinho acéfalo; enfim, ao dizer-se que não existe filosofia sem ontologia, significa-se que a questão do sujeito é importante, que o sujeito é a nossa forma de participar no ser. Isso é lonerganiano, como é, também, voegeliniano e até heideggeriano e cartesiano; faz parte da filosofia. Não quer isto dizer que não haja "querelas de família" dentro da filosofia para afinar as posições respectivas do conhecer e do ser, da consciência e da realidade. Mas para Lonergan era muito clara a importância das três operações intelectuais de experimentar, entender e julgar. Todos estamos perfeitamente conscientes da distinção entre o aspecto sensível de representação e o aspecto inteligível de concepção; essa divisão é óbvia e incontornável. Mas também é importante a diferença entre entender e julgar. A diferença entre entender – o trabalho da *dianoia* – e julgar – o trabalho do *nous* – é decisiva para Lonergan porque uma coisa é fazer hipóteses e congeminações, criar cenários prováveis e argumentar sobre o que são as coisas; e outra coisa é comprometermo-nos com uma determinada descrição da realidade, afirmarmos "sim" ou "não", "ser" ou "não ser".

Essa diferença tão importante serviu a Lonergan para se libertar do idealismo. Um autor que tem tão presente o empirismo, a filosofia do senso comum e o pensamento de Kant e Hegel... dá a impressão de ficar preso a uma configuração idealista. Vamos pensar naquilo que está muito em moda, para o setor não necessariamente mais ilustrado da sociedade, que são os videojogos. Um videojogo tem uma narrativa, tem personagens e estes ganham uma vida própria, uma *second reality*. Há sites na internet de *second reality* em que as pessoas inventam um avatar... Isso será apaixonante para os jovens que ainda têm muito por viver, ou para os adultos que não se desenvolveram completamente, ou estão em regressão. Aliás, como divertimento, ninguém é proibido de se divertir por algumas horas, mas como dizia

Pascal, "divertir-se é divergir", é não coincidir com a realidade, investindo apenas uma parte de nós mesmos, e não toda a nossa personalidade.

Ora, essa *second reality* dos videojogos e suas histórias e personagens não *existem*, no sentido razoável da palavra *existência*; é razoável aceitar que não existem, mas não podemos dizer que não *são*. Mas o que *são*? Isso é extremamente importante, porque essa urgência de ser toma as mais diversas configurações; os videojogos, os personagens são uma espécie de realidade. Nós que estamos aqui *somos*, os nossos antepassados *são* de outra maneira, os mortos, os vindouros, as coisas, os animais, os astros, o cosmos *são* de modos diferentes.

A visão filosófica é sempre uma visão que não faz *apartheid* entre realidades. O filósofo tem de procurar uma maneira de perceber que tudo convive no todo, embora haja tipos de realidades que são muito difíceis de conviver, como as realidades identificadas com o mal e com a iniquidade... E é preciso saber o que é que essas realidades aqui fazem e onde elas se situam e para onde elas nos levam, ou se somos nós que as temos de eliminar. Não se trata de uma visão panteísta, em versão *friendly*... quase que se pode dizer utopicamente amigável.

Não conhecemos *hippies* velhos, o que significa que a visão de uma convivência e de uma harmonia absoluta de todas as coisas, seja qual for a sua origem, não me parece possível.

Bernard Lonergan, como qualquer filósofo, tem de encontrar maneira de referir a realidade, sabendo que a realidade é referida pela linguagem, que essa linguagem pertence a um sujeito, que o sujeito está culturalmente condicionado, que tem de ultrapassar os condicionalismos muito variados, de época, origem e cultura; e que, para o fazer, ele tem um único recurso que não pode perder, uma espécie de fio de Ariadne, o fio invisível que conduz até fora do labirinto, muito frágil, mas que, para Lonergan, chama-se o desejo de conhecer. Coisa muito simples! Lonergan era, por um lado, professor, acadêmico, cientista, economista, repleto de livros sisudos, devassadores mesmo. Muitas vezes eu pus Lonergan de lado, pensando: "Oh, que chato, nem posso ler mais, mesmo!". Mas eu acabava sempre por resgatar a leitura, não necessariamente logo a seguir, pois não somos super-homens, ao experimentar que o que conduz a pessoa para fora do labirinto do mundo é o desejo de saber a verdade, que é diferente da vontade intelectualista de dominar o mundo.

Entre os nossos desejos, segundo Lonergan, esse sobreleva aos outros. Essa sua conclusão não resulta de um estudo estatístico sobre as opiniões pessoais. O que Lonergan achava é que o desejo que sobreleva aos outros é o puro desejo de conhecer, o desejo que teria levado Arquimedes a pular nu da banheira ao resolver o famoso problema da falsificação das coroas do soberano de Siracusa; o fato de ele reparar que as coroas falsificadas e as coroas genuínas, mergulhadas em água, afundavam-se com velocidades diferentes permitiu-lhe definir o princípio de impulsão, exclamando *eureka*, "eu descobri", ou seja, o meu desejo de verdade foi satisfeito!

Esse caráter afetivo da inteligência é muito importante para Lonergan. Nós somos animais desejantes; não porque queremos dominar o mundo com conhecimentos, à maneira positivista, mas porque todos os nossos desejos conduzem ao desejo de encontrar o meu lugar no cosmos, o meu modo de participar no ser.

Insight é um livro sobre o desejo humano de conhecer; e por isso Lonergan confere uma enorme importância ao senso comum. Ele não está à espera de que leiamos todos os livros dele, para depois aumentarmos a graduação dos óculos. Conhecer não é uma questão de leituras, não é uma questão intelectualista; conhecer é ser capaz de realizar atos de autoconsciência, de prestar atenção ao que sucede quando nós conhecemos e, uma vez que sabemos o que sucede quando conhecemos, poderemos saber o que conhecemos quando isso sucede. Em termos mais técnicos, isso significa que existe um isomorfismo entre as estruturas do conhecimento e as estruturas da realidade; e também existe um isomorfismo entre as estruturas do agir, como veremos depois em alguns quadros na segunda parte da nossa palestra, até para assentar algumas destas ideias e suscitar outro tipo de questões.

Ao conduzir-nos pelo desejo de conhecer, Lonergan dá-nos pistas para saber como agir e pistas para saber o que é o ser; ou, por ordem inversa, para percebermos o que é a realidade e para podermos agir na realidade. Ele ocupa-se das operações de senso comum que preenchem uma boa parte de nossa vida. Eu aqui presente, para falar durante cerca de duas horas, tenho de ajustar o meu tempo. De vosso ponto de vista, ouvintes, também cumprem operações de senso comum: devem selecionar o que vale a pena ouvir do que eu estou a dizer. Estamos sempre a fazer operações desse tipo ou, ainda mais simples, para assegurar a nossa sobrevivência e alimentação, o abrigo que procuramos, o afeto que partilhamos; tudo isso são operações de senso comum.

Uma parte do livro *Insight* é dedicada ao estudo do senso comum, enquanto individual e enquanto coletivo. Escreveu Maquiavel, no seu exílio de San Cassiano, que dava grandes passeios durante o dia vestido de um modo pobre. Mas quando regressava à casa, ao entardecer, vestia-se com a melhor roupa que tinha, a fim de ler os grandes livros da humanidade à luz da candeia. Também nós temos que "estar vestidos da melhor maneira" para os grandes desenvolvimentos intelectuais, embora a maior parte das operações intelectuais que realizamos cotidianamente seja de senso comum. E se o senso comum é uma pista para saber o que é conhecer, a ciência fornece outro tipo de pista. A epistemologia é a disciplina filosófica que reconhece os métodos e os paradigmas das ciências exatas e das ciências naturais. E, segundo Lonergan, há uma particular utilidade em estudar o conhecimento científico e, sobretudo, a ciência contemporânea, para explicar o que é o conhecimento em geral.

Se começarmos a folhear as páginas da Teoria da Relatividade Restrita de Einstein – como Lonergan explica em *Insight* –, percebemos que não é matéria que possa vir no *Pato Donald* nem mesmo no suplemento semanal de *O Estado de S. Paulo*. É uma descrição complexa. Afirmar que não se pode isolar o espaço e o tempo enquanto dimensões da realidade, e que o tempo não é senão uma quarta dimensão, isso quer dizer o quê? Lonergan acrescenta: "O conhecimento científico complexo mostra-nos que conhecer não é o mesmo que olhar para as coisas, conhecer não é representar ou registar de maneira passiva o que está na minha frente". "*Knowledge is not to take a look.*" Conhecer é significar na consciência o que a realidade é, e o conhecimento é sempre uma descoberta, é sempre um acrescento, porque é o ato humano por excelência; não é um registro passivo da realidade, não é uma imitação, não é fotocopiar as coisas, não é clonar a realidade, mas é, sim, participar de uma maneira diferente e aumentar a realidade com a minha consciência, com o meu conhecimento. E por isso o conhecimento científico é muito revelador do que é o conhecimento em geral. O conhecimento científico não é assim: "Olha, eu já li as primeiras três páginas da Teoria da Relatividade de Einstein em três minutos, já percebi tudo do Einstein! Eu fazia aquilo mais depressa do que Einstein!". Não! Não é assim que a ciência se apresenta. A ciência é complicada e exige uma intelecção específica.

Lonergan está a dar-nos exemplos do conhecimento do senso comum, da ciência, e também exemplos que vêm do mito, porquanto também dava importância às formas de interpretação que não são diretamente racionais. Ele tinha consciência de que nós reformulamos a realidade com linguagens especiais, que estamos sempre a criar estórias (com "e") – que às vezes queremos fazer passar por histórias (com "h") – e que as nossas narrativas são tão importantes quanto os instrumentos ou as máquinas que utilizamos. As máquinas são para nós mexermos na realidade externa; as "estórias" são para mexermos na realidade interna. O ser humano precisa de "estórias" para contar, de narrativas para conferir sentido aos atos em que partilha a realidade. Mas essas "estórias" e os símbolos que as compõem têm uma validade muito diferente dos símbolos científicos e dos símbolos do senso comum.

Por que surgem os mitos? E por que é importante o conhecimento do mito? Porque os mitos exploram aquilo a que Lonergan chamou "*the known unknown*", ou seja, "o desconhecido que é conhecido". E o que é "o desconhecido que é conhecido"? É que pode haver muita ciência e podemos ter muitos conhecimentos metódicos; ou podemos ser espíritos muito práticos ou muito espertos, desembaraçados – ou, como se diz em Portugal, "desenrascados" –, mas nada disso resolve os problemas a que os mitos vêm dar resposta.

As respostas míticas não solucionam problemas científicos que visam à relação das coisas entre si nem problemas de senso comum que incidem sobre os nossos interesses, a relação das coisas conosco. O mito surge porque nós somos portadores de mistérios dentro de nós. Mesmo a pessoa aparentemente mais materialista, mais crassa e mais estúpida – mesmo a que se agarra a videojogos – é portadora do mistério. Esse mistério não é fácil de ser comunicado se não for de uma forma mítica, com uma linguagem poética, porque o mistério é maior do que a pessoa que é portadora e a linguagem tem de ser transformada por metáforas. Como diz Fernando Pessoa:

> Grandes mistérios habitam
> O limiar do meu ser (...)

Os famosos catorze sonetos rosacruzianos de Fernando Pessoa, uma das suas obras magnas, descrevem essa ideia de que somos portadores de mistérios, como ele diz no soneto XIII:

Emissário de um rei desconhecido,
Eu cumpro informes instruções de além,
E as bruscas frases que aos meus lábios vêm
Soam-me a um outro e anômalo sentido...

O soneto continua, mas ocorreu-me agora porque, além de todos nós gostarmos muito de Fernando Pessoa, ele apresenta essas realidades de que nós somos portadores e que são "maiores do que nós", maiores do que a nossa consciência e, por isso, nem a linguagem científica nem a linguagem prática do senso comum servem para as transmitir. Cada um de nós é um poeta em potência; e possivelmente todos nós já fomos poetas uma vez na vida ao comunicarmos, quando estamos apaixonados por outra pessoa ou por uma outra realidade e temos que transmitir realidades que não são objetivas, mas cujo significado insiste.

Ora, Lonergan interessou-se também pela teoria da interpretação das formas míticas. Não o faz na obra *Insight*, mas se torna mais expressivo em outras obras, que mais tarde reuniria sob o nome de *Collection*, coletâneas de artigos, e também em *Método na Teologia*. O que ele diz é que todas as manifestações ficcionadas, romanceadas e míticas são parte muito importante do conhecimento humano a ser levada em conta para compor esse vasto mosaico que é a existência, a maneira como nós existimos; é mais um padrão que tem de ser tecido juntamente com a ciência e o senso comum.

Existe uma quarta grande área de conhecimentos a ter em conta, a relacionada com a experiência e as doutrinas religiosas. Lonergan adotou a tradição cristã, mas ficou sempre atento ao diálogo com a experiência de outras religiões. Além de ser impossível separar a tradição cristã da tradição judaica, existem tradições islâmicas e búdicas, e ainda tradições de outras religiões menores que não estão centradas num livro, que concorrem para a experiência religiosa. A profissão de fé cristã de Bernard Lonergan, tendo em conta a sua atividade de teólogo e sacerdote jesuíta, é natural. O que nos deve intrigar é o modo como ele foca o centro da experiência religiosa e qual era o seu objetivo ao fazê-lo. Embora Lonergan fosse autor de manuais em latim, para as disciplinas que lecionava na Universidade Gregoriana, em Roma, alguns deles agora traduzidos para o inglês, não lhes atribuía demasiada importância; apenas considerava que cumpriam o papel de retransmitir a doutrina cristã.

O centro motivador da sua investigação surge numa obra chamada *Método na Teologia*, que, na realidade, é uma introdução geral à hermenêutica. Lonergan se depara com o que acontece a qualquer professor de disciplinas teológicas do cristianismo; tem de acumular muitos tipos de conhecimentos: a) linguísticos, o hebraico, o grego, o latim; b) historiográficos, para conhecer "o tempo de Cristo", as várias épocas do Antigo Testamento, a vida da Igreja Católica até a nossa época; c) ciências e disciplinas auxiliares como a epigrafia, a arqueologia, a parenética, a liturgia, etc.; d) o panorama da filosofia. Lonergan considerava uma tarefa quase impossível dominar todos esses assuntos e ou o professor de teologia "ficava maluco" ou formava "malucos". Aí ele achava que em vez de o teólogo se preocupar em passar tanta informação aos outros, deveria focalizar-se no método.

A questão é esta: será que se poderiam classificar as operações intelectuais que qualquer teólogo tem de realizar, estivesse ele a ensinar questões cristológicas, teologia histórica, teologia pastoral ou outro ramo? Será que não existem operações de conhecimento semelhantes em toda a teologia? É esta questão que serve de base ao seu livro *Método na Teologia*, mas que depois, ou não fosse Lonergan o autor, é generalizada a todos os ramos do conhecimento. A questão não será só da teologia, mas também de qualquer saber metodologicamente organizado. É isso que está descrito no capítulo chamado *As Oito Especialidades Funcionais* – página 14 em diante. As oito operações são passos obrigatórios de qualquer conhecimento sistemático. Nesse sentido, *Método na Teologia* é um livro de hermenêutica, isto é, um estudo das operações gerais de interpretação, sejam estas feitas por um teólogo, um historiador, um físico, um ético, enfim, por quem fizer uma apropriação da realidade de tipo intelectual. Nós voltaremos ainda nesta palestra a falar disso.

As oito operações também não surgem do nada. Momentos atrás, eu me referi às três operações da intelecção: o experimentar, o entender e o julgar. Se acrescentarmos a estas três operações o *insight* típico da ação, que nos permite escolher, temos quatro operações; se duplicarmos essas quatro operações, teremos oito. É normal, quando se chega às grandes sínteses da filosofia, encontrar sempre algum esquematismo, mas não devemos abusar dele como no pitagorismo esotérico. Autores da filosofia, como por exemplo Kant, usaram e abusaram de esquemas simétricos e muito previsíveis na composição das suas obras. Criaram grandes arrumações para abranger numa forma estável os materiais variados e os conteúdos heteróclitos. Essa forma é apofântica, segundo o termo aristotélico, ou seja, reveladora pela sua clareza. É esse o caso das oito operações de que nós podemos falar a seguir e que têm essa característica.

Vamos ver um dos nossos quadros.

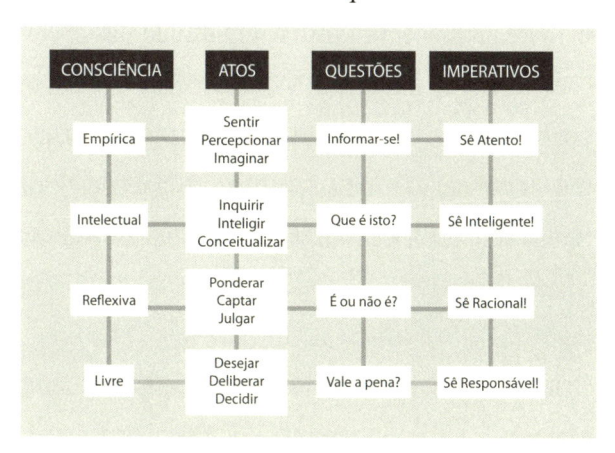

CONSCIÊNCIA	ATOS	QUESTÕES	IMPERATIVOS
Empírica	Sentir / Percepcionar / Imaginar	Informar-se!	Sê Atento!
Intelectual	Inquirir / Inteligir / Conceitualizar	Que é isto?	Sê Inteligente!
Reflexiva	Ponderar / Captar / Julgar	É ou não é?	Sê Racional!
Livre	Desejar / Deliberar / Decidir	Vale a pena?	Sê Responsável!

Este quadro vem muito a propósito porque nele estamos a falar das operações da consciência, a que correspondem determinados tipos de atos, determinados tipos de questões, determinados tipos de imperativos. No âmbito do conhecimento e no âmbito da ação, a consciência tem de ser atenta, inteligente, racional e responsável. Estes imperativos, chamados transcendentais, são uma expressão que Lonergan repete como um mantra nas suas obras. Se nós formos atentos, inteligentes, racionais e responsáveis – quando lerem *Insight*, vão ler isso repetidas vezes, como quem segue uma mnemônica –, atingimos conhecimentos verdadeiros. São imperativos porque são exigências que a consciência se coloca a si própria. Para quê? Para chegar a resultados positivos.

É muito interessante reparar que não há aqui uma separação radical entre teoria e prática, entre conhecimento e ação. Se há qualquer coisa que marca a herança kantiana, é que escreveu um livro chamado *Crítica da Razão Pura* teórica; e depois escreveu a *Crítica da Razão Prática*; e os resultados de ambas as Críticas não só divergem quanto à possibilidade da metafísica como, de certo modo, são incompatíveis. "Bobagem", diria Lonergan, não para chamar bobo a Kant, mas para afirmar: "Não concordo!". E ele explica-se mediante um argumento que é, simultaneamente, gnoseológico e ontológico: a consciência é uma só, desde os atos mais imediatos e mais primitivos de informar-se até os atos mais complexos da ação, como desejar, ponderar e escolher. Temos questões a responder, temos coisas que queremos saber, temos dados que queremos recolher, temos juízos ou afirmações a proferir, temos de asseverar se uma determinada realidade é ou não é e, finalmente, temos de nos pôr questões tais como "Vale a pena?", "O que é que devo fazer?" e "Como deverei agir?".

O que o quadro sintetiza é a Teoria da Consciência de Lonergan. A consciência parte dos atos mais elementares de natureza empírica, quer o dado esteja presente, para o representarmos, quer o dado esteja ausente, e então temos de imaginá-lo. Apesar de nós partilharmos o primeiro grau de consciência com os animais, não existe autoconsciência no animal, por muito interessante que seja a comunicação com golfinhos ou cães. O grau seguinte da consciência leva-nos a pôr hipóteses, a criar argumentos, a conceptualizar, de forma a perguntarmos sobre a essência das coisas. O passo seguinte, que é o da consciência racional, caracteriza-se pelo fato de julgar e responder à questão "ser ou não ser". A conceptualização não é o sentido pleno da racionalidade porque pode ser entregue a uma inteligência artificial que, para determinado tipo de intelecções, é muito mais inteligente que nós, humanos, e por isso os computadores fazem cálculos. Mas o que a inteligência artificial ainda não faz – se o fizer deixa de ser artificial – é proferir juízos de existência, sobre o que existe ou não existe.

Finalmente, a consciência dá ainda o passo livre de desejar, deliberar e decidir. Há aqui uma grande consonância entre as chamadas teorias escolásticas de origem aristotélica, Descartes e Lonergan. Eu acho que os éticos disseram sempre a mesma coisa. Não consigo ver diferenças substanciais entre eles.

No que nos interessa, isso forma o quarto patamar da consciência.

No slide seguinte, vem como que uma recapitulação do nível primeiro da consciência, a sensibilidade, o nível empírico.

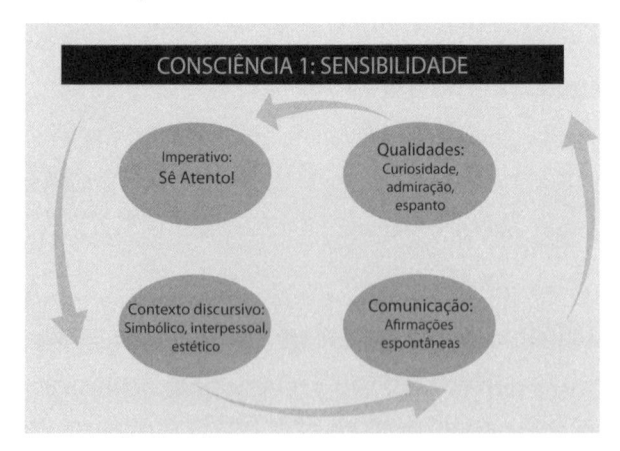

CONSCIÊNCIA 1: SENSIBILIDADE

- Imperativo: Sê Atento!
- Qualidades: Curiosidade, admiração, espanto
- Contexto discursivo: Simbólico, interpessoal, estético
- Comunicação: Afirmações espontâneas

No slide seguinte, mostra-se o nível intelectual com as suas qualidades típicas com um contexto discursivo também típico.

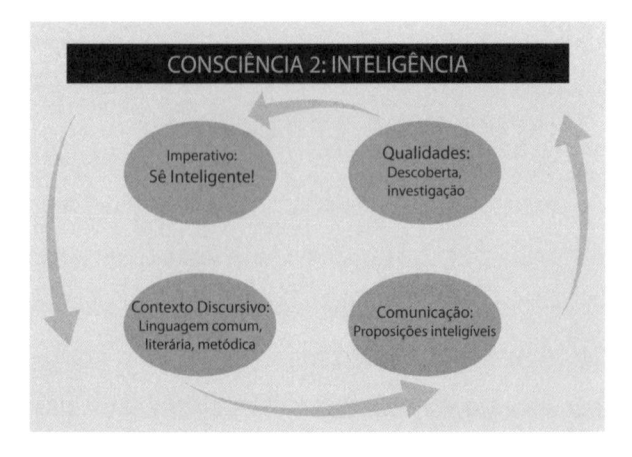

CONSCIÊNCIA 2: INTELIGÊNCIA

- Imperativo: Sê Inteligente!
- Qualidades: Descoberta, investigação
- Contexto Discursivo: Linguagem comum, literária, metódica
- Comunicação: Proposições inteligíveis

Slide seguinte. Aqui o nível racional, ou da reflexão, aparece com qualidades e contexto discursivo próprios.

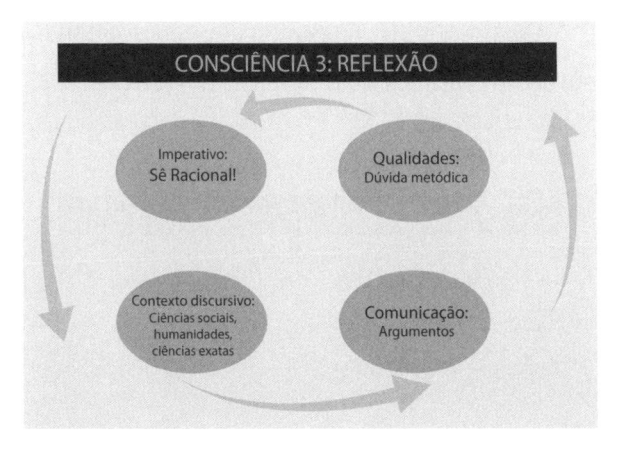

CONSCIÊNCIA 3: REFLEXÃO
- Imperativo: Sê Racional!
- Qualidades: Dúvida metódica
- Contexto discursivo: Ciências sociais, humanidades, ciências exatas
- Comunicação: Argumentos

Slide seguinte. Aqui, o nível da responsabilidade, porque temos que agir, temos que assumir uma função, um cargo, um destino.

CONSCIÊNCIA 4: RESPONSABILIDADE
- Imperativo: Sê Responsável!
- Qualidades: Assumir uma função, um cargo, um destino
- Contexto discursivo: Papéis sociais, viver a vida
- Comunicação: Decisão, compromisso, testemunho

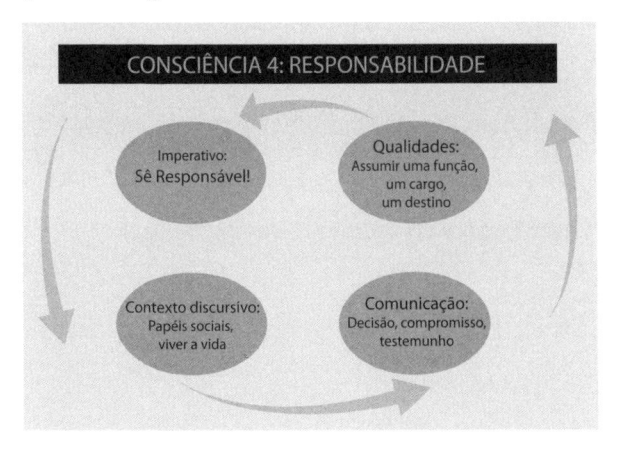

No grau seguinte – que não está contemplado na matriz exposta das oito funcionalidades –, diz Lonergan que existem realidades para as quais a única resposta autêntica é levar o desejo até o seu estado pleno de realização, que é amar.

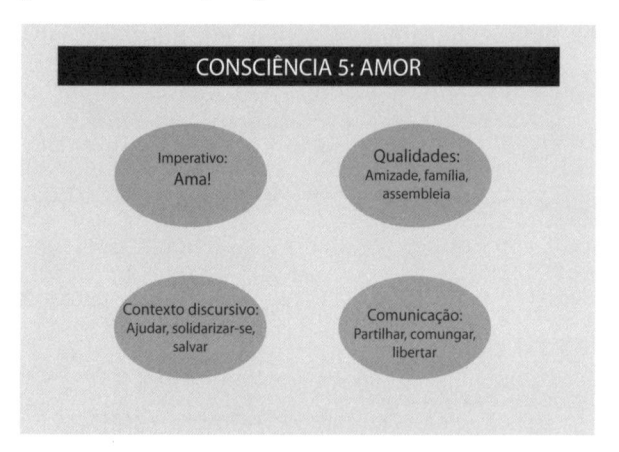

CONSCIÊNCIA 5: AMOR

- Imperativo: Ama!
- Qualidades: Amizade, família, assembleia
- Contexto discursivo: Ajudar, solidarizar-se, salvar
- Comunicação: Partilhar, comungar, libertar

O certo é que esta quinta dimensão da consciência, se lhe quisermos dar esse nome, é a maneira como o desejo humano se realiza plenamente; e o desejo humano só se realiza plenamente amando outro ser humano, além do amor à natureza. E como dirá Lonergan, também há amor divino por razões que têm a ver com a existência de Jesus Cristo, o Deus feito homem, como ele apresenta na sua teologia.

Num dos últimos slides, vêm indicadas as oito especialidades funcionais.

Numa coluna, lemos investigação empírica, interpretação intelectual, história reflexiva, dialética de conjunto; na outra, fundamentação, doutrina, sistema e comunicação. Reconhecemos aqui de que modo os quatro níveis da consciência, de que há pouco falávamos, resultam em oito especialidades funcionais, segundo as quais exercemos o conhecimento. Nas obras de Lonergan, tudo isso surge de forma muito mais rica e esclarecedora; aqui mostramos esquemas e articulações rígidas com o intuito pedagógico de simplificação e memorização.

TEORIA COGNITIVA E DIVISÃO DO TRABALHO INTELECTUAL		
Informações sobre o passado		Geração de presente e futuro
	Empírica experimentar	
Investigação Obtenção de dados dos sistemas do mundo		Comunicação Aplicação de componentes
	Inteligente entender	
Interpretação Teoria interpretativa dos fatos		Sistema Coordenar investigação e desenvolvimento
	Racional julgar	
História Verificação dos resultados		Doutrina Avaliação das prioridades de ação
	Responsável decidir	
Dialética Avaliação de implicações internas das teorias		Fundamentação Articulações de consequências
	Consciência	

Segundo Lonergan, quem tiver uma tarefa de conhecimento metódico passa necessariamente por todas essas fases. Suponhamos que lhe interessa comunicar. Mas se nós queremos comunicar, comunicamos o quê? Comunicamos investigações, mais ou menos sistematizadas, e que derivam de uma doutrina. Mas se temos uma doutrina, é porque tivemos que procurar um fundamento. Se temos um fundamento, é porque esse fundamento está dependente de uma análise de aplicações internas, de uma dialética. E não chegamos a uma dialética sem dominar intelectualmente os termos da dialética, ou seja, os resultados que nos permitem construir uma comparação, que é uma história. Também não chegamos a uma história sem ter uma interpretação dos fatos. E não chegamos à interpretação dos fatos sem adquirir o conhecimento dos próprios fatos, ou seja, sem investigar. E por isso, sem investigar, não temos comunicação. Podíamos partir de qualquer dos pontos: "Eu estou interessado em fazer um balanço histórico!". Ah, mas para fazer um balanço histórico, eu tenho que ter uma interpretação e tenho que investigar. E para que eu quero um balanço histórico? Possivelmente para comparar. E se eu quero comparar, tenho que fundamentar. E assim sucessivamente.

Temos aqui uma espécie de máquina de movimento perpétuo em que a consciência nunca se detém neste ciclo de análise da realidade. Mas a análise pode correr de modos muito diferentes e até opostos! Slide seguinte. Aqui corre tudo bem, o ciclo é virtuoso e a nossa pesquisa é feita de uma forma livre, e isso nos permite um aperfeiçoamento e um desenvolvimento das capacidades de intelecção.

MODELO DE CONHECIMENTO EM CICLO VIRTUOSO

Liberdade
Reconhecer e realizar potencial de conhecimento

Aperfeiçoamento
Desenvolver capacidades de intelecção mediante aquisição de funcionalidades

Crise
Formular problemas, definir dilemas

Inovação
Intelecção é a diferença entre problema e resposta

Comunicação
Alcançar uma teoria geral

Mudança
Construir métodos de conhecimento

Reforma
Estabelecer critérios de relevância

Colaboração
Relação entre intelecções permite reorientar conhecimento

Certamente que vamos encontrar crises; mas a crise é uma oportunidade que nos permite formular problemas e nos obriga a fazer inovações, ou seja, a encontrar novos *insights* como resposta aos nossos problemas; esses *insights* vão permitir a colaboração ao serem relacionados com outros. Essa colaboração permite-nos novos critérios de relevância, que nos permitem mudar aquilo que já tínhamos; então, poderemos comunicar; fazer reconhecimento de fatos; aumentar o nosso potencial de conhecimento, e assim sucessivamente. Isto é, quando o ciclo do conhecimento é virtuoso, o movimento perpétuo produz resultados positivos.

Mas o ciclo pode ser vicioso. Slide seguinte. Aqui o processo corre mal, e o ciclo em vez de ser virtuoso torna-se vicioso quando nós introduzimos o privilégio: quando a crise é mal formulada; quando a solução é forçada pelo dogmatismo; quando os sistemas implicam uma discriminação; quando a conformidade é superior à inovação; quando as pressões ideológicas atuam sobre nós; quando há técnicas de controle do conhecimento; e quando, em último caso, nos impõem soluções, nos mandam dizer o que deve ou não ser conhecido, todo o ciclo da consciência entra em derrapagem.

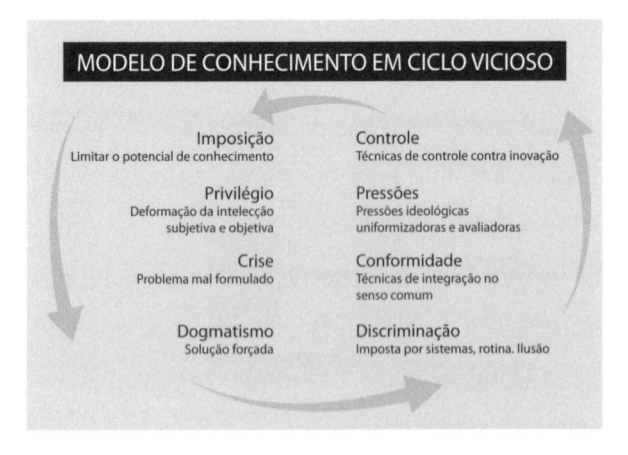

MODELO DE CONHECIMENTO EM CICLO VICIOSO

Imposição
Limitar o potencial de conhecimento

Privilégio
Deformação da intelecção subjetiva e objetiva

Crise
Problema mal formulado

Dogmatismo
Solução forçada

Controle
Técnicas de controle contra inovação

Pressões
Pressões ideológicas uniformizadoras e avaliadoras

Conformidade
Técnicas de integração no senso comum

Discriminação
Imposta por sistemas, rotina. Ilusão

Slide seguinte. É característico desta proposta de Lonergan que os modelos dos ciclos da consciência tanto se aplicam ao conhecimento como à ação. Sigamos o ponto de vista da ação.

Leiamos o que lá está: liberdade, aperfeiçoamento, crise, inovação, colaboração, reforma. Estamos a falar de teoria ou estamos a falar de práxis? Neste caso é indiferente porque a consciência humana é uma só, e Lonergan recusa a separação entre a teoria e a prática que foi fatal para o kantismo e para o projeto idealista.

MODELO DE CONHECIMENTO EM CICLO VIRTUOSO

Liberdade
É possibilidade natural e é realização afetiva

Aperfeiçoamento
Crescimento das capacidades mediante aquisição de operações

Crise
Desafio às instituições para definir que bens pretendem

Inovação
Quando bem de ordem é reorientado para valor

Comunicação
Comunicar a mudança alarga a liberdade afetiva

Mudança
Fornece estratégias para implementar novos papéis

Reforma
Estabelece prioridades de mudança institucional

Colaboração
Estabelecida entre bens permite reorientar ação

Essa separação entre a razão teórica e a razão prática levou a que os resultados da razão prática fossem a negação de verdades teóricas e levou ao esquecimento não só da própria ontologia como de uma visão do todo. As visões do todo foram consideradas pelos positivistas como fantasias religiosas, literárias e míticas, enquanto a verdade era apenas a verdade objetiva da ciência. É contra esse panorama cultural que Lonergan está revoltado, mas no seu modo muito discreto e *soft spoken*, como dizem os ingleses. De uma maneira suave, ele tem respostas para a crise, pois é um pensador das novas soluções e das novas alternativas para o século XXI.

No modelo vicioso da consciência que se empenha na ação, tudo corre mal porque somos obrigados a desempenhar papéis que não assumimos, agimos conforme as prerrogativas, não por mérito mas por privilégio.

MODELO DE CONHECIMENTO EM CICLO VICIOSO

Imposição
Desempenho de papéis obrigatórios

Controle
Técnicas de controle contra inovação

Privilégio
Competências decididas conforme estatuto de privilégios

Pressões
Uniformizadoras e avaliadoras suplantam o indivíduo

Crise
Das instituições que apenas querem eficiência

Conformidade
Técnicas de integração no sistema

Dogmatismo
Bem de ordem torna-se finalidade exclusiva

Discriminação
Imposta por sistema conforme divisão de trabalho

Então, as instituições entram em crise e os bens de ordem tornam-se exclusivos de um grupo em detrimento dos bens de valor. O sistema impõe-nos tarefas mediante técnicas de conformismo, as pressões abatem-se sobre nós, o controle social é excessivo. Tudo escapa das mãos da liberdade humana e somos manipulados e controlados por processos, ideologias, idolatrias e sistemas, que, em último caso, conduzem à violência porque vão contra o desenrolar da realidade.

No último slide de recapitulação, Lonergan comunica o que faz quem se empenha num conhecimento metódico.

E este tipo de matriz tem-se revelado esclarecedor para as mais variadas situações e profissões. Nos encontros lonerganianos a que tenho assistido, há pessoas que vêm da informática, do design, da arquitetura, gestores, cientistas e universitários.

MODELO DE CONHECIMENTO EM CICLO VIRTUOSO

Consciência

Passado — Futuro

Informação
Obtenção de dados dos sistemas do mundo

Empírica

Comunicação
Aplicação dos componentes aos sistemas do mundo

Interpretação
Metateoria interpretativa dos métodos

Inteligente

Sistema
Coordenação da investigação e desenvolvimento

História
Verificação historiográfica dos resultados

Racional

Avaliação
Avaliação das prioridades de ação

Dialética
Avaliação de implicações internas das teorias

Responsável

Fundamentação
Articulação de consequências humanas

Consciência

E por quê? Porque Lonergan não afirma que há uma condição *sine qua non* para saber o que é conhecer. Conhecer pode ser um ato de senso comum, pode ser um ato científico, pode ser um ato de um escritor; conhecer pode ser um ato religioso ou de um teólogo. O conhecimento vem do desejo universal de captar a verdade. Tem as manifestações mais variadas, mais extraordinárias e mais ricas que possamos pensar. E a pessoa é portadora desse desejo de conhecer que a conduz aos grandes mistérios que a habitam, ao "desconhecido que é conhecido" de que temos intimações através dos mitos e da literatura. Então, qualquer pessoa está preparada para entrar por uma das portas desse grande edifício que é a filosofia em que se faz ouvir a voz de Lonergan. Lonergan não nos diz que para ser filósofo é preciso ser lonerganiano!

Pelo contrário, ele tem muito cuidado em afirmar que "para ser filósofo é preciso adquirir uma perspectiva universal, é preciso adquirir uma capacidade de nos ultrapassarmos a nós próprios". Lonergan não tem o monopólio de um método filosófico. E como, aliás, viram, as considerações que nos apresenta vão inspirar-se em correntes extremamente variadas da filosofia antiga, medieval, moderna e contemporânea, e igualmente nas ciências e na teologia, e ainda na experiência do homem da rua que nós todos somos, na experiência cotidiana.

Isso não é muito frequente. A versão universitária da filosofia que nos estão passando é que filosofia é para indivíduos com pelo menos sete graus de miopia, encafuados em livros especiais que só podem ser recitados de maneira talmúdica... Os adversários samnitas, ao vencerem o exército romano em tempos idos, disseram: "Vamos fazer uma coisa ainda mais horrível do que os matar, vamos obrigá-los a passar todos com a cabeça dobrada por debaixo de lanças cruzadas!". Chama-se a isso "forcas caudinas"; e as legiões derrotadas tiveram que se humilhar e passar debaixo das lanças. Ora, a universidade hoje em dia tem muito disso, de fazer os alunos passarem de cabeça baixa por textos e autores obrigatórios. Lonergan rompeu com todos esses modelos de rebanho mental. E sendo ele um sacerdote jesuíta, é muito surpreendente que tenha sido de uma pessoa assim que tenha vindo essa mensagem de libertação da inteligência, o que só é possível porque ele tem a noção de que essa libertação resulta do nosso desejo da realidade. Isso é muito forte nele. Nós só nos contentamos com as coisas mesmas. É isso que, segundo Lonergan, define o ser humano e deve ser levado a sério como um método para conhecer.

Para finalizar esta primeira parte da palestra, eu pergunto se não haveria alguma questão específica que quisessem colocar e que eu teria gosto em responder.

Aluno: Professor, teria uma questão para o quinto nível de consciência?

Aluno: O senhor colocou questões, tinha uma coluna de questões para os quatro primeiros níveis na transparência e para o quinto nível, o amor,...

Próximo slide. Nós já vimos este slide na quinta-feira como uma simplificação do que Lonergan nos diz sobre esta realidade que é o amor, como o cumprimento pleno do desejo humano e que se apresenta com uma grande variedade de manifestações.

REDE DE AFETIVIDADE		
APAIXONADA	AMOR	DOM
RESPONSÁVEL	ÁGAPE	OFERTA
RACIONAL	AMIZADE	PARTILHA
INTELIGENTE	ERÓTICO	EXCLUSIVIDADE
EMPÍRICA	SEXUAL	PROMISCUIDADE

Ele foi um estudioso das escolas psicanalíticas, em particular da chamada Primeira Escola de Viena, a de Freud, mas conhecia e apreciava também a escola de Viktor Frankl, da Logoterapia. E considerava interessante a psicanálise para explicar os problemas e bloqueios do *insight*. Se o *insight* é a manifestação da consciência, as expressões da perda de consciência têm muito a ver com fenômenos de afetividade que a psicanálise revela, sendo que a realidade amorosa começa por ser realidade sexual. E o que faz Lonergan? Precisamente utiliza os vários níveis da consciência – empírica, inteligente, racional, responsável e apaixonada – para dizer que a afetividade se apresenta com características muito diferentes, mas todas elas profundamente humanas. Aí o sexual, o erótico, o amigo, o ágape, e o amor em si mesmo, tudo isso são manifestações que caracterizam a nossa maneira de estar no mundo. E de um modo geral, Lonergan desenvolve uma *teoria geral dos sentimentos* em obras como *Healing and Creating* [Curar e Criar], onde nos vai dizer que a par das características do conhecer e do agir, os sentimentos revelam como que um quinto nível de consciência. Os comentadores parecem-se com uma legião de formigas que debatem "cá embaixo" os pensamentos da abelha-mestra original. Mas muitas vezes os comentadores avançam sobre o próprio mestre porque mostram temas que estavam equívocos no original. Os comentadores de Lonergan dividem-se em saber se podemos falar do quinto nível da consciência ou se apenas há quatro e depois algo à parte. É um problema que eu deixo por resolver. Mas a questão põe-se, e debate-se qual é a melhor resposta: o importante em Lonergan é que ele não estava cego para a grande realidade afetiva à qual augurava um papel muito importante no cumprimento do desejo humano de realidade.

Aluno: Palestra muito edificante e, pela fala do senhor, me parece que o Lonergan parece mais ser um pastor protestante do que um padre católico, pela livre interpretação que ele tem. A minha pergunta ao senhor é a seguinte, mais teológica: sabe-se dentro da teologia que o homem caiu. É observado pela realidade... A gente vai chegar a essa conclusão. Quando se tem dois tipos de esquema, um em que a consciência funciona bem e o outro em que não funciona bem.

Se eu partir do pressuposto de que o homem caiu, essa questão da consciência funcionar bem quase será uma utopia. Como o senhor vê essa questão?

Sem entrarmos demasiado na questão da teoria dos bens, pode afirmar-se que, tal como há uma estrutura invariante do bem, existe, embora não exatamente com o mesmo peso, uma estrutura invariante do mal.

O SUJEITO HUMANO			
ESTRUTURA INVARIANTE DOS MALES			
INDIVÍDUO	SOCIEDADE	HISTÓRIA	MALES
DOENÇA	PRIVAÇÕES	CATÁSTROFE	PARTICULAR
CRIME	VIOLÊNCIA	CONFLITO	ORDEM
FRIVOLIDADE	NIILISMO	DECLÍNIO	NEGAÇÃO DE VALOR

O mal é doença, o mal é catástrofe, o mal é crime, o mal é conflito, o mal é frivolidade, o mal é niilismo, o mal é declínio, há muitas formas. Isso pode ser tratado segundo a doutrina do pecado original à maneira do teólogo, como o foi Bernard Lonergan numa das mais importantes universidades pontifícias, como é a Gregoriana, em Roma. Mas, em termos filosóficos, eu alcanço uma experiência da presença de forças corruptoras e de forças redentoras na existência humana. Então, quando nós falávamos do bom ou mau funcionamento da consciência, não se veja isso como uma espécie de descrição técnica e imanentista de que é dado ao próprio homem controlar ou descontrolar toda a sua existência – isso seria um erro, e um risco que nós temos que evitar. É, antes, o reconhecimento de que há forças sobre-humanas que ultrapassam o homem nessa sua luta pela existência. A uma dessas forças Bernard Lonergan chama a "Graça" – não esqueça que ele é um teólogo da Graça. E a outras forças ele chamará "Iniquidade", porque elas se caracterizam pelas características opostas da Graça, quer dizer, pela inexplicável injeção dos males na existência. O que ele acrescenta é que a redenção é superior à corrupção. Nas conferências transformadas no livro *Tópicos sobre Educação*, as conferências de Cincinnati de 1953 – referidas neste meu livro –, Lonergan chamou a atenção de que toda a marcha da ética é uma espécie de recuperação a partir de uma situação perdida. É a recuperação do que ele às vezes chama pecado, outras vezes chama corrupção. Eu, em termos filosóficos, por razões bastante evidentes, prefiro falar em "corrupção", até porque isso recupera o sentido aristotélico original de "*phthora*", que significa isto mesmo: "corrupção" é aquilo que vai macular o nascimento, "*gênesis*". Significa que estamos à procura de um vocábulo que não seja de um vocabulário paroquial, ainda que teológico, mas que possa circular das ciências para a filosofia, e também até a teologia e mesmo ao senso comum, e isso é importante na perspectiva ecumênica e universal de Lonergan. Não há nenhuma área privilegiada nem nenhuma pessoa privilegiada que possa dizer o que é minha consciência, ou seja: eu é que tenho que realizar os atos de apropriação e saber o que é a consciência. Como Lonergan diz mais de uma vez, eu tenho que saber o que sucede quando estou a conhecer – e por isso é que estudo o *insight* – e depois eu posso saber o que está a suceder quando eu conheço; então eu, a partir daí, posso conhecer a partir do que sucede porque descobri estruturas da consciência que vão ajudar a identificar estruturas da realidade.

PARTE II

INSIGHT

Insight

Vamos então passar para a segunda parte da palestra. O que estava previsto era esta segunda parte incidir mais sobre o *Insight*: era o mais provável, para usarmos um termo lonerganiano. Em todo caso, o sentido da palestra e deste meu primeiro livro de aperitivo, *Bernard Lonergan: Uma Filosofia para o Século XXI*, é dar passos no sentido de uma recepção da obra *Insight* o mais esclarecedora possível; espero que a própria mídia, pelo menos a mídia cultural, faça eco dela e de Lonergan.

Como repararam, estamos perante um autor de enorme honestidade intelectual que não está a vender um pensamento nem uma ideologia; estamos perante um autor que acolheu, de braços abertos, correntes muito diversas e de épocas diferentes. Esta atitude é muito inspiradora para a situação cultural que nós atravessamos, numa época em que já se tem muitos diagnósticos, mas as terapêuticas são escassas... Há muita gente a dizer onde reside o problema, mas pouca gente a dizer onde está a solução. A filosofia também não pretende resolver todos os nossos problemas existenciais nem todas as crises do mundo. Mas Lonergan identifica os problemas e as soluções nas áreas em que a filosofia tem uma palavra. Assim, no debate entre métodos, nas áreas de interdisciplinaridade, os físicos devem falar com os matemáticos e ambos devem falar com os sociólogos, e ambos com os historiadores, e assim sucessivamente. Ele faz propostas de ecumenismo religioso sem abdicar do que considera ser a centralidade da religião cristã; essa centralidade, esse protagonismo, ele acha que só se cumpre se estiver em diálogo ecumênico com outras religiões, com confissões cristãs que não a católica e outras com o sentido do sagrado. Estamos perante um autor que está na encruzilhada dos nossos problemas e que teve a graça e o mérito de aproveitar o seu tempo, deixando-nos esta obra que, não sendo monumental em extensão, é, toda ela, extremamente profunda e – parte dela – com grande sentido pragmático.

Quanto ao *Insight*, eu começaria por abordar nesta parte da palestra os aspectos de Lonergan que se referem ao seu entendimento da ciência.

> **DIÁLOGO COM AS CIÊNCIAS**
> - A estrutura do conhecimento científico.
> - Os cânones do conhecimento científico.
> - A visão do mundo como probabilidade emergente.
> - Os esquemas de recorrência.
> - Textos de intelecção, capítulos 3, 4 e 14.

Os capítulos que nos interessam são os 3, 4 e 14, que esclarecem o conceito de intelecção ou *insight*; e vamos ver um pouco do ponto 1; vamos só aludir ao ponto 2; e vamos ver um pouco do ponto 3, a visão do mundo como probabilidade emergente.

Neste slide, como disse na quinta-feira passada, Lonergan apresenta o conjunto das ciências como uma escala contínua, sem a rotura neopositivista entre ciências exatas e ciências sociais.

Isso é muito importante, porque o empreendimento científico é um só. Para todos os efeitos, se um sociólogo e um físico são cientistas, têm de ter algo em comum. Segundo Lonergan, o que têm em comum é que investigam esquemas de recorrência.

TEORIA DA PROBABILIDADE EMERGENTE - CIÊNCIAS

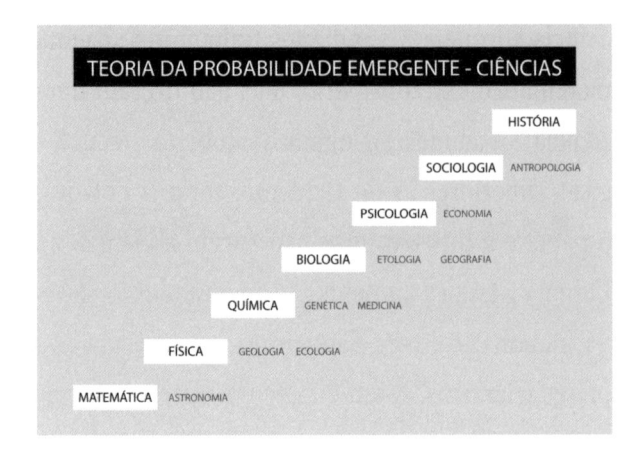

		HISTÓRIA
	SOCIOLOGIA	ANTROPOLOGIA
	PSICOLOGIA	ECONOMIA
BIOLOGIA	ETOLOGIA	GEOGRAFIA
QUÍMICA	GENÉTICA	MEDICINA
FÍSICA	GEOLOGIA	ECOLOGIA
MATEMÁTICA	ASTRONOMIA	

Para chegar a essa fórmula de que um cientista é alguém que estabelece esquemas de recorrência de fenômenos prováveis, Lonergan estabeleceu uma comparação muito enriquecedora e suficientemente aberta para ser aprimorada.

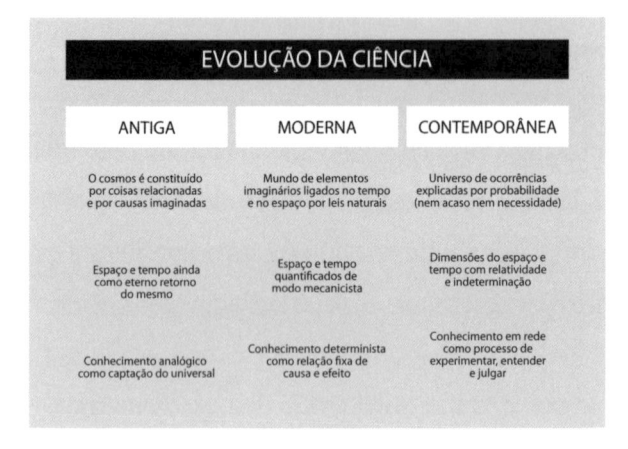

EVOLUÇÃO DA CIÊNCIA

ANTIGA	MODERNA	CONTEMPORÂNEA
O cosmos é constituído por coisas relacionadas e por causas imaginadas	Mundo de elementos imaginários ligados no tempo e no espaço por leis naturais	Universo de ocorrências explicadas por probabilidade (nem acaso nem necessidade)
Espaço e tempo ainda como eterno retorno do mesmo	Espaço e tempo quantificados de modo mecanicista	Dimensões do espaço e tempo com relatividade e indeterminação
Conhecimento analógico como captação do universal	Conhecimento determinista como relação fixa de causa e efeito	Conhecimento em rede como processo de experimentar, entender e julgar

Estamos perante um tema inesgotável, pois há autores, como Rodney Stark, que consideram que só se pode falar de ciência a partir da moderna ciência europeia. Os indianos tinham um sistema matemático extraordinário, mas não fizeram uma ciência; os chineses tinham descobertas tecnológicas superiores às do Ocidente, como a pólvora, o papel e a bússola, mas não surgiu a ciência na China; os árabes também tinham grandes avanços na matemática, mas não surgiu uma ciência nos países islâmicos. É um debate em aberto saber se podemos falar de ciência antes do século XVII na Europa, o "século do gênio", como lhe chamou Alfred North Whitehead.

Do ponto de vista de Lonergan, pode-se falar de uma fase original de ciência agradecendo aos gregos terem descoberto que "só há ciência do geral", de acordo com a frase de Aristóteles. Aquilo que Aristóteles estabeleceu foi que há ciência quando desprezamos as particularidades e encontramos uma constante ou generalidade. "Uma andorinha não faz a primavera" porque a vinda de uma andorinha é um fato particular, diz Aristóteles, o que por si só não nos permite tirar uma conclusão. Só a acumulação de evidências permite estabelecer uma constante, e permite criar ciência. Nesse sentido, foram cientistas os gregos com a geometria e Aristóteles com a biologia e a lógica enquanto ciência da argumentação e, antes deles, os caldeus com a astronomia.

Contudo, a ciência antiga estava hipotecada a características que se podem resumir assim: a ciência antiga operava debaixo de um horizonte cosmológico, ou seja, com a ideia que vinha da noite dos tempos, e que anima os simbolismos pré-históricos, de que a existência humana mais não faz do que repetir os ritmos e as características do cosmos. As normas, os totens e os tabus, das civilizações antigas na China, no Egito, nos Astecas, nos Incas, procuravam repetir esses mesmos ritmos que julgavam ser do cosmos. Ao fazer a primeira aproximação ao conceito de lei, a ciência antiga tinha dificuldade em libertar-se desse conceito de eterno retorno, tinha dificuldade em libertar-se do conhecimento analógico. Por exemplo, a biologia de Aristóteles é interessante enquanto descrição, mas não é muito interessante enquanto explicação. E por que a medicina não avançou durante séculos? Porque era essencialmente uma ciência de tipo analógico pelo que, como disse Voltaire, muitas vezes, nos séculos passados, o doente tinha mais medo do médico do que da doença. Havia bloqueios de ordem cosmológica que impediram o avanço da ciência na Antiguidade... mesmo quando as descobertas tecnológicas eram extraordinárias, como no caso da máquina a vapor. Existem exemplos em Alexandria, no século I, da nossa era de aplicações da máquina a vapor para mover autômatos e brinquedos de luxo na corte egípcia. Outra razão que impedia o desenvolvimento da ciência e, em particular, a sua aplicação, era a existência de uma mão de obra barata e inesgotável com a escravatura. Para que ter máquinas, se – o termo é cruel, mas era usado – havia máquinas humanas que eram os escravos? Na verdade, há uma série de bloqueios, quer de origem social, quer de origem cultural, que impediam o florescimento da ciência na Antiguidade.

O certo é que há uma ruptura, conforme a ideia de Thomas Kuhn de que a ciência procede por rupturas e novos paradigmas, no século XVI e XVII, com Copérnico, Kepler, Galileu e Newton. A astronomia e a mecânica de Galileu, a fusão dos estudos astronômicos e dos estudos da mecânica através do princípio único da teoria da atração universal em Newton, permitiu um novo entendimento – ou melhor, criou um novo entendimento do espaço e do tempo quantificados de modo mecanicista; então, temos a visão do mundo como uma grande máquina. Descartes é muito importante pela descoberta genial da geometria analítica, é claro, e na sua física é importante porque estabelece o princípio básico mecanicista, o princípio da inércia, segundo o qual um corpo percorre o seu movimento se tiver um impulso inicial e se não tiver mais obstáculos. Esses contributos que cada um dos cientistas do mundo moderno vão dando, sobretudo na física, passando os conhecimentos uns para os outros, numa época em que surgem as academias científicas trocando dados, permitem criar um conhecimento determinista com relação de causa e efeito, do tipo a que Pascal chamava "o espírito geométrico".

Pascal era um filósofo extraordinário que percebeu que estava a criar um novo tipo de saber que era o e*sprit de géométrie*, como ele dizia, a par do que ele chamava *esprit de finesse*, em que as relações não podiam ser estabelecidas como causa e efeito, mas sim conforme a dialética do pró e do contra. E, ao mesmo tempo, o fato de a ciência estar a descobrir as novas leis da natureza, ou leis clássicas dos fenômenos naturais ligados no tempo e no espaço, criou a tentação – isso se torna evidente desde Galileu – de considerar que as propriedades observáveis nesses fenômenos como seja, o que se podia ver, tocar, ouvir, cheirar, palpar, experimentar com os sentidos, corresponderiam ao que se chamam qualidades secundárias; mas "por detrás" – e "por detrás" entre aspas – das qualidades secundárias existiriam qualidades primárias insuscetíveis de serem captadas pelos sentidos e que correspondiam a elementos imaginários dos quais o mais imaginário de todos foi, ou é, chamado "matéria".

Ainda vemos, por exemplo, na publicidade da televisão, aparecer a "matéria". Estava lembrando de um anúncio de detergente que passava muito em Portugal e que se chamava "os glutões". E então o detergente era umas ferazinhas que comiam a sujidade e por isso que eram "os glutões". É uma boa imaginação materialista do que se passa com o processo químico da chamada adstringência ou da absorção com que os detergentes retiram a sujidade da roupa. Mas esses elementos meramente imaginários passaram a ser chamados as qualidades primárias e isso é tão forte, tão forte, que chega até Kant, que constrói o seu modelo da ciência como um saber com sucesso que nos permite conhecer os fenômenos, mas por detrás dos fenômenos está a coisa em si. No fundo, o modelo de fenômenos *versus* coisa em si de Kant reverte ao modelo de Galileu de qualidades secundárias que se veem, que são fenomenais, *versus* qualidades primárias que não se veem, mas que estão lá por trás. E isso suscita uma especulação que não tem solução científica, numa área em que se começa a fugir da ciência e em que a ciência se torna "cientismo". Foi Alfred North Whitehead, o famoso filósofo inglês, quem, ensinando muito nos Estados Unidos, nos disse que o cientismo é essa tentação do cientista de "deslocar o concreto"; em vez de o concreto ser o ente, material ou ideal, o concreto seria o que se imagina, o que se especula com o pensamento, em contraste com o que se vê, o que se toca, o que se ouve e o que se palpa e, de um modo geral, o que se sente: esta "deslocação do concreto" para a abstração já não é um procedimento científico, mas sim cientificista, e que mais tarde vai se chamar positivista.

De qualquer modo, essa evolução não retira o extraordinário sucesso, eficácia e verdade da ciência dentro dos seus limites, tal como o conseguiram os criadores da física moderna, da química, da biologia e, de um modo geral, de todas as ciências exatas e também das ciências humanas. Um dos mais significativos espíritos das ciências humanas foi Giambattista Vico; ele mostrou que, na história e no direito, bem como no que na altura se podia saber de psicologia e sociologia, existiam princípios imutáveis aos quais ele chamou de *corsi* e *ricorsi*; trata-se de princípios recorrentes que permitem analisar a ação humana nas várias vertentes da sociedade.

O que Lonergan vem chamar a atenção é que com Charles Darwin – cujo bicentenário do nascimento foi comemorado o ano passado, 2009, e depois em outros ramos da ciência do século XX – surgiu uma terceira fase da ciência a que ele chamava de ciência contemporânea de base probabilística. Aqui, o que interessa explicar já não se resume no objetivo aristotélico de encontrar a constante, a lei geral; isso se mantém, pois a ciência é sempre ciência também do geral. Mas agora surgiu a preocupação de perceber que essa constante ocorre em momentos singulares, num espaço e tempo que podem ser quantificados; daqui deriva a importância da linguagem matemática que é usada em toda a ciência; mesmo o sociólogo e o historiador podem não usar matemática, mas usam quantificadores. Quando um historiador diz: "Então, toda a população se revoltou...". Epa! "Toda"? Ou "todos menos um"? "Nessa altura, uma boa parte das elites acha...". Uma "boa parte" quanto é? Metade? Dois terços? Um terço? "Depois houve um grande movimento de resistência...". "Grande", por quê? Quantos afetava? O historiador está sempre a usar quantificadores. O fato de não usar fórmulas matemáticas não quer dizer que não esteja sempre a quantificar e, portanto, também a pensar em termos de ocorrências no espaço e no tempo.

A ciência contemporânea, segundo Lonergan, não se substitui, mas sim acrescenta-se à ciência clássica. Essas fases não são exclusivas, são fases que se recobrem, o aparecimento da segunda não faz desaparecer a primeira, o aparecimento da terceira não faz desaparecer a segunda, mas atenua-lhe a centralidade. Ora, a ciência contemporânea estabelece o princípio de indeterminação. O universo não se lhe apresenta como um sistema mecânico, uma máquina ou um relógio, como disseram alguns; apresenta-se como uma rede, uma casa comum de fenômenos em interação e que só assim podem ser conhecidos mediante o *insight*.

O processo de *insight* é sempre comum a todo conhecimento: é preciso experimentar, é preciso pôr hipóteses e é preciso verificar, ou seja, julgar. Estas são estruturas invariantes do ato do conhecimento que, na ciência, tomam a forma metódica que o cientista criar. Se for em sociologia, não se vão fazer experiências, não se vai a uma fábrica dizer: "Ah, agora eu gostaria que tivesse aqui uma greve para ver como o patrão reage!". Mas se não há experiências em sociologia, há modelos comparativos para saber, por exemplo, como é que greves diferentes, em locais e lugares diferentes, originaram reações governamentais e patronais. Portanto, há maneiras diversas de "ter experiência" como há maneiras diversas de se fazer hipóteses, de se conceber esquemas e, finalmente, maneiras diversas de se verificar, para sabermos se é ou não é assim. As sugestões epistemológicas de Karl Popper são interessantes, pois a ciência não trata tanto de encontrar o verificável, mas sim o falsificável. Mas esta sugestão é colateral à característica central da ciência contemporânea destacada por Lonergan: a probabilidade.

No slide seguinte, nós podemos ver uma comparação sistemática entre ciência clássica e contemporânea, ou melhor, entre os aspectos clássicos da ciência e os aspectos contemporâneos.

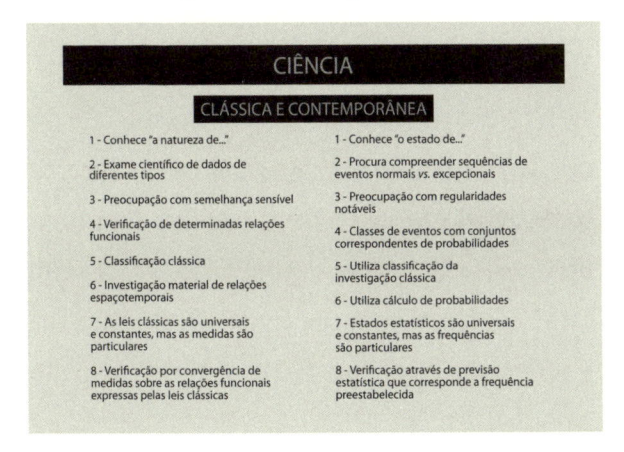

CIÊNCIA
CLÁSSICA E CONTEMPORÂNEA

Clássica	Contemporânea
1 - Conhece "a natureza de..."	1 - Conhece "o estado de..."
2 - Exame científico de dados de diferentes tipos	2 - Procura compreender sequências de eventos normais *vs.* excepcionais
3 - Preocupação com semelhança sensível	3 - Preocupação com regularidades notáveis
4 - Verificação de determinadas relações funcionais	4 - Classes de eventos com conjuntos correspondentes de probabilidades
5 - Classificação clássica	5 - Utiliza classificação da investigação clássica
6 - Investigação material de relações espaçotemporais	6 - Utiliza cálculo de probabilidades
7 - As leis clássicas são universais e constantes, mas as medidas são particulares	7 - Estados estatísticos são universais e constantes, mas as frequências são particulares
8 - Verificação por convergência de medidas sobre as relações funcionais expressas pelas leis clássicas	8 - Verificação através de previsão estatística que corresponde a frequência preestabelecida

Claro que a ciência é só uma, na teoria e na aplicação; por exemplo, na garagem de automóveis, bastava aplicar a mecânica de Newton. Agora, com os sistemas eletrônicos dos automóveis, os mecânicos ligam o sistema a computadores que fazem a análise e detectam falhas; onde antes apareciam sujos, com o macacão manchado de óleo, os mecânicos agora são técnicos de avental branco que começam por analisar dados.

A epistemologia revela essa diferença entre conhecer "a natureza de" e conhecer "o estado de", e o grau atual da ciência exige não só definir a lei geral, mas também o grau de probabilidade da ocorrência. A ciência clássica fazia o exame científico de dados de diferentes tipos; para a ciência contemporânea, há um procedimento básico que é este: comparar o normal com o excepcional. Ser cientista nos séculos XX e XXI é pensar que existem eventos normais e eventos excepcionais; no sentido clássico isso não existia; existia apenas o caso geral, sendo a preocupação antiga com a experiência sensível substituída pela preocupação com as regularidades e a verificação das relações funcionais complementada com a verificação de classes de eventos com conjuntos correspondentes.

Podemos continuar a ler estes esquemas que criei para facilitar a compreensão de Lonergan e que ficam à disposição do Edson. O certo é que estes esquemas resumem o que Lonergan diz nos capítulos 3, 4 e 14 do *Insight* e em outras obras de sua autoria. Ele recorreu, com conhecimento de causa, a manuais avançados de física, química, biologia, etc. para chegar a essas conclusões que aqui parecem fáceis, mas que dão muito trabalho para alcançar. Lonergan conseguia tornar fácil os problemas, mas por trás desse feito está uma montanha de investigação e de deglutição de obras complexas em variadas áreas científicas.

Como veem, há uma palavra que se destaca, que é a palavra probabilidade. Neste slide, destaca-se a "probabilidade" numa frase do próprio Lonergan. Imaginemos que fazemos na rua, às pessoas, uma pergunta de algibeira – "Diga lá: o que é o mundo?"...

> **O MUNDO COMO PROBABILIDADE EMERGENTE**
>
> * O mundo é composto de eventos, cada qual com o seu tempo e espaço, recorrentes e de diferentes tipos. Uns ocorrem regularmente ou implicam relações circulares. Outros são condicionados. A divergência não sistemática da frequência ou probabilidade de ocorrência constitui o acaso.
>
> * O mundo é sucessão de eventos prováveis e possíveis. Não é governado por puro acaso nem determinismo, mas é crescentemente sistemático e admite grandes variações. Os processos quebram por vezes e admitem impasses.

Se os nossos jornalistas soubessem fazer perguntas assim, já estaríamos bem encaminhados porque há uma velha lição de Henri Bergson que diz que, em filosofia, um problema bem colocado é um problema resolvido; o que é difícil em filosofia não é resolver problemas; para isso basta lógica e capacidade de argumentação; o que é difícil em filosofia é pôr o problema certo, identificar o problema relevante; para pôr o problema certo temos de ter critérios de relevância, o que significa separar o que é importante do que é secundário, o que exige definir princípios e combater bloqueios culturais. Por outro lado – essa é uma ideia de Eric Voegelin –, há épocas culturais que revelam o que os cientistas alemães chamam *Fragesverbot*, a proibição de perguntar; isto é, a configuração cultural está de tal maneira degradada que as perguntas que são colocadas na mídia ou nas conversas das pessoas são desinteressantes, irrelevantes, insensatas, esquisitas mesmo. Basta chegarmos a uma recepção e alguém nos perguntar: "Qual é o seu signo?". Não precisa responder com bofetada e dizer "Você é estúpido, eu não acredito em signos!". Afinal é uma pergunta simpática, um bocadinho fútil e trivial, e nós podemos dizer isso mesmo de uma maneira educada à pessoa: "Você é fútil, simpática e trivial". Mas a questão cultural da proibição de perguntar é mais grave. Quando existe uma predominância ideológica, um enviesamento das questões, para usar um termo muito caro a Lonergan, um desvio sistemático no uso da consciência e no aproveitamento das nossas capacidades, há perguntas que ficam "fora do radar" ou "não há radar" para essas perguntas. E, por outro lado, há afirmações que a mídia e a propaganda política repetem constantemente. Também nisto Eric Voegelin está em sintonia com Bernard Lonergan; eles, aliás, conheciam-se e estimavam-se. Lonergan recomendava livros de Voegelin e Voegelin citava Lonergan. Contudo, Lonergan tinha para com Voegelin um *parti pris*: "Voegelin não tem muita metodologia, e não levou muito a sério a teoria do conhecimento". Lonergan considerava que não era muito evidente do ponto de vista metódico o que Voegelin dizia sobre o "puxão" e "contrapuxão" (*helkein* e *ant'helkein*), um dado muito importante na teoria da consciência de Voegelin, segundo o qual a consciência humana é atraída e repelida por forças que nela operam.

Regressando à questão da "proibição de perguntar", diz Voegelin que a situação ideológica e cultural pode levar à proibição sistemática de perguntas, nomeadamente sobre os fundamentos. A cultura degradada concentra-se em matérias triviais, algumas talvez de interesse pragmático e mesmo essas por vezes mal solucionadas. É um erro julgar que resolvemos questões pragmáticas com respostas apenas utilitárias; é um erro, se as questões pragmáticas não resultarem do desejo de conhecer a realidade de forma atenta, inteligente, racional e responsável. E se julgarmos que bastam respostas utilitárias – que não são necessariamente atentas, nem inteligentes, nem racionais, nem responsáveis –, nem sequer conseguimos resolver as questões utilitárias. Por exemplo, fala-se se a atual e gravíssima crise econômica mundial pode ou não ser resolvida. A economista Joan [Violet] Robinson, de Cambridge, dizia: "A economia é demasiado importante para ser confiada a economistas!". É uma afirmação paradoxal que se pode aplicar a qualquer profissão. Mas o que a pensadora afirmou é que a economia exige conhecer condições que ultrapassam a ciência econômica; há condições sociais e políticas que estão para além do raciocínio do economista. E os grandes economistas sabem disso e é por isso que um Hayek, um Schumpeter, um Von Mises, e o próprio Marx, são mais do que economistas, e têm de ter uma teoria sociológica e uma teoria da história, e colocar as perguntas sobre os fundamentos da ação humana.

Fizemos esse circuito sobre o que é a proibição de perguntar e como a filosofia existe para pôr as perguntas proibidas – as perguntas sobre o fundamento das coisas ou sobre o ser que só podem parecer remotas para quem está obcecado pelos aspectos pragmáticos e utilitários, mas que são decisivas para quem não só quer responder a esses aspectos pragmáticos, como acha que há outros modos de realização do desejo humano de realidade, do desejo puro de conhecer, e que vem a ser a realização cultural, a realização espiritual, a partilha do que nós fazemos e de quem nós somos.

Então, à pergunta "O que é o mundo?", Lonergan responderia algo deste tipo. O mundo é composto de eventos, cada qual com o seu tempo e espaço e de diferentes tipos; ocorrem regularmente, implicam relações circulares, são recorrentes. A divergência não sistemática da frequência, ou probabilidade de ocorrência, constitui o acaso. O mundo é uma sucessão de eventos prováveis e possíveis, não sendo governado pelo puro caos – não tem teoria do caos possível – nem pelo determinismo – também não tem teoria "ferroviária" da necessidade. O mundo é crescentemente sistemático e admite grandes variações; por vezes, os processos quebram e admitem impasses; outras vezes, surgem novidades.

Do que nos apercebemos nessa cosmologia de Lonergan é que ela não é especulativa, pois resulta da dedução a partir das características do conhecimento científico e de acordo com o princípio de isomorfia entre o conhecer e o ser. Se a ciência nos diz tal e tal sobre objetos, fatos e eventos, então os objetos, fatos e eventos, determinados pela ciência, são tal e tal. Mas se a ciência evoluir, crescer e se modificar, então temos que modificar a nossa visão do que são os objetos, fatos e eventos. "Ser", disse Lonergan numa de suas fórmulas mais "sagradas" no capítulo 12 de *Insight*, "ser é tudo o que há para conhecer", quer já esteja conhecido, quer ainda esteja por conhecer.

O ser estudado pela ciência corresponde ao conjunto de seres viventes ou inertes e que constituem eventos prováveis e possíveis. O que é a probabilidade? A probabilidade é a frequência sistemática da ocorrência. O que faz um meteorologista? Estabelece frequências sistemáticas e com base nelas faz previsões do tempo. Por que motivo as previsões do tempo, de base científica, são um bocadinho incertas? Vou dar um exemplo, infelizmente triste, relacionado com uma catástrofe natural em fevereiro deste ano de 2010, na Madeira, no meio do Oceano Atlântico. Na ilha, houve um fenômeno meteorológico inusitado, um capacete de nuvens que provocou em duas horas uma precipitação de chuva, que atingiu qualquer coisa como quatro metros. Como a Madeira tem vertentes montanhosas a pique, a enxurrada desceu pelas ribeiras ao longo das quais existem muitos edifícios. Conclusão: cinquenta mortos, muitos estragos. Curiosamente, havia um sistema de alarme informático em Lisboa, do professor Delgado Domingos, baseado em indicadores meteorológicos, que deu sinais da catástrofe com antecedência, começando a apitar e a acender uma luz vermelha, a avisar que era uma situação perigosa; o modelo informático estava feito para advertir sobre calamidades como a que sucedeu. E depois, como calculam, houve uma grande discussão – mas já tinham morrido as cinquenta pessoas – e o governo da Madeira requereu cerca de mil milhões de euros do governo central de Lisboa, ou seja, dois mil e quinhentos milhões de reais, em parte para sanar a dívida regional. Isso mostra o entrelaçamento das decisões, desde a vertente científica do modelo de clima aos aspectos trágicos da catástrofe, ao aproveitamento político, um caso de estudo de como podemos analisar a realidade de modo sinóptico.

Seguindo o slide. Na fase anterior, estávamos a analisar o conceito de desenvolvimento. Desenvolver-se é criar condições para a emergência de probabilidades – isso é muito importante. Não se esqueçam de que Lonergan é também um teólogo, e que as chamadas encíclicas sociais fizeram muito uso desse termo do "desenvolvimento"; Paulo VI chegou a escrever: "O novo nome da paz é o desenvolvimento".

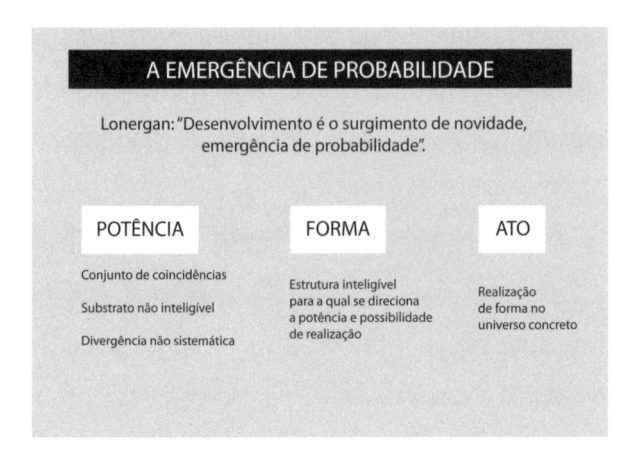

A EMERGÊNCIA DE PROBABILIDADE

Lonergan: "Desenvolvimento é o surgimento de novidade, emergência de probabilidade".

POTÊNCIA	FORMA	ATO
Conjunto de coincidências	Estrutura inteligível para a qual se direciona a potência e possibilidade de realização	Realização de forma no universo concreto
Substrato não inteligível		
Divergência não sistemática		

O conceito já estava na encíclica *Mater et Magistra* de João XXIII, passou para as encíclicas de Paulo VI e continuou com João Paulo II. Lonergan era perito nos bastidores do Concílio Vaticano II, ou seja, convidado a dar opinião sobre as matérias conciliares; era normal, lecionava em Roma, na Gregoriana; depois não pôde participar ativamente do Concílio a partir de 1964, porque surgiu um câncer, de que felizmente se curou, embora tenha diminuído algumas capacidades.

"Desenvolvimento", para Lonergan, é um termo muito forte, que vai desde as aplicações teológicas, religiosas, sociais, políticas até o que aqui nos interessa, as aplicações em cosmologia. Desenvolver é criar condições para o emergir da probabilidade. Slide seguinte! Então, o que Lonergan nos diz é que se pode argumentar quer de forma *a priori*, quer de forma *a posteriori* relativamente à experiência, para mostrar que o mundo é probabilidade emergente.

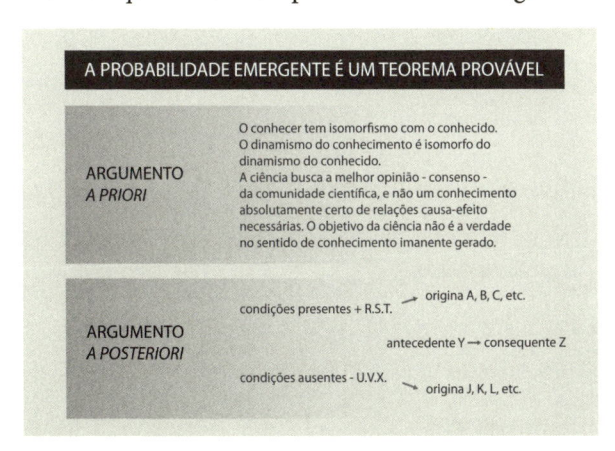

A PROBABILIDADE EMERGENTE É UM TEOREMA PROVÁVEL	
ARGUMENTO A PRIORI	O conhecer tem isomorfismo com o conhecido. O dinamismo do conhecimento é isomorfo do dinamismo do conhecido. A ciência busca a melhor opinião - consenso - da comunidade científica, e não um conhecimento absolutamente certo de relações causa-efeito necessárias. O objetivo da ciência não é a verdade no sentido de conhecimento imanente gerado.
ARGUMENTO A POSTERIORI	condições presentes + R.S.T. → origina A, B, C, etc. antecedente Y → consequente Z condições ausentes - U.V.X. → origina J, K, L, etc.

Como podemos argumentar de forma *a posteriori* está nos capítulos 15 e 16 de *Insight*. Embora o esquema pareça de leitura difícil, ele simplifica o que Lonergan nos diz sobre a interligação dos fenômenos e que cada fenômeno, R, S ou T, tem determinados antecedentes. Podemos começar por aqui! Cada fenômeno que encontramos, por exemplo, Z, depende de um fenômeno Y; para o fenômeno Y se manifestar, tem de haver condições presentes e condições ausentes. Tem de estar presente, por exemplo, o que por convenção vamos chamar R, S, T; por sua vez, R, S, T também são um consequente de outros fenômenos. Mas, ao mesmo tempo, para um fenômeno se verificar têm de se não verificar outros fenômenos. Para um papel cair, consequente Z, tem de haver uma força gravitacional, tem de ser largado, e não pode haver resistências; ou então, se houver resistências... se pusermos a mão, ele para; ou se soprarmos, desvia-se; ou se houver um vento forte, continua a esvoaçar... Então, esse entrelaçamento de condições presentes e ausentes determina que um fenômeno tão simples, como a queda de um papel, tenha um número quase infinito de probabilidades, de trajetórias prováveis.

O que Lonergan está a nos dizer é algo deste gênero: "O mundo é todo assim; podem ser neutrões, ou investimentos na bolsa, ou movimentos de migração, ou regimes políticos; existe sempre uma interligação dos fenômenos segundo esquemas de recorrência; e ser cientista é identificar esses esquemas". Há uma coisa que o cientista tem de explicar, a saber, a probabilidade de ocorrência dos fenômenos que entendeu analisar. Então, isso é uma enorme libertação do pensamento que Lonergan está a propor: por um lado, mostra que a ciência tem toda a razão de se apresentar como um conhecimento seguro e verificável, com capacidade de criar máquinas e instrumentos. Nós estamos rodeados por máquinas e utilizamos tecnologias: os nossos óculos vêm desde o século XIII, tal como os nossos relógios, não estes, analógicos ou digitais que hoje usamos, mas os primeiros nas torres das igrejas. O laser é dos anos 1950, a tecnologia do cinema é mais antiga, e mais mil exemplos se poderiam dar do sucesso da ciência.

Este sucesso evidente da ciência cria a tentação de tomá-la como pensamento único. Lonergan diz-nos algo do gênero: "Eu compreendo o sucesso da ciência, que aceito, admiro e estimo; o que eu não compreendo é que os maus cientistas tenham a pretensão de impor esse saber como um conhecimento absoluto da realidade. Primeiro, porque a ciência não é mais que uma das formas de conhecer; há outras formas interessantes, que servem para outras finalidades. Em segundo lugar, porque a ciência não está perante um universo fechado e absoluto que determina, a ciência estuda o mundo como probabilidade". Lonergan está, ao mesmo tempo, a fazer uma prova de confiança na ciência, e uma prova de confiança na inteligência humana que não se limita a ser científica. Esse equilíbrio é muito importante. E, à medida que essa mensagem de Lonergan passar, nós conseguiremos sair da armadura blindada cientificista em que nos colocou boa parte da cultura moderna e que é muito criticada, por exemplo, por um Heidegger. Só que vamos "dar a volta por cima", não vamos "dar a volta por baixo"; não vamos regredir para fundamentalismos anticientíficos como os operários luditas que partiam as máquinas, há duzentos anos, porque diziam que tiravam o emprego; igualmente fundamentalista é pensar que, como a ciência tem más aplicações, deve-se acabar com a ciência. O que é um argumento semelhante a dizer: "como estou muito constipado, vou cortar o nariz". Não é, claramente, a melhor solução.

Por outro lado, demonstra-nos Lonergan, existem argumentos *a priori* para mostrar que o mundo é probabilidade emergente e é assim que a ciência o pode conhecer. Esse argumento *a priori* relaciona-se, como já devem calcular, com o princípio do isomorfismo entre o ser e o conhecer ou entre o conhecer e o ser conhecido; o dinamismo do conhecimento tem a mesma forma, é isomórfico do dinamismo do conhecido. Uma consequência deste princípio é que não há ciência absoluta; convém perceber que a ciência é sempre feita por um cientista ou por equipes, mas que tem de procurar o consenso da comunidade científica e de um modo absolutamente objetivo. E isso é muito importante para todas as sociedades ocidentais que continuam a investir na investigação científica e nas aplicações tecnológicas.

E aqui neste slide podemos ver uma comparação entre juízos científicos e juízos de senso comum para mostrar que a ciência tem um papel importantíssimo, mas que não faz desaparecer o papel do senso comum.

JUÍZOS DE SENSO COMUM	JUÍZOS CIENTÍFICOS
Experienciais	Explicativos
Particulares	Universais
Relativos	Invariantes
Imagináveis	Inimagináveis
Objeto - as coisas para nós	Objeto - a coisa em si
Preocupação com expectativas normais	Diferenças de frequência definidas nas coisas
Linguagem familiar	Analítico e com estrutura dedutiva
Utilizam constantes	Utilizam termos exatos com relações gerais

Trata-se de finalidades completamente distintas. O cientista quer analisar as relações das coisas entre si; enquanto pessoas de senso comum, não estamos numa atividade científica e só nos preocupa o interesse que as coisas têm para nós. A nossa preocupação, enquanto sujeitos de senso comum, é com expectativas normais e usamos uma linguagem familiar: Ninguém se lembra de chegar um dia ao bar e pedir "Dê-me um copo de H_2O, por favor"; aí não faz sentido; a pessoa dirá "Eu quero um copo d'água!". Mas para o cientista é mais interessante falar de H_2O, porque aí ele imediatamente vai ao encontro da relação das coisas entre si, e ao modo como se combinam o elemento hidrogênio e o elemento oxigênio.

Considerem, por exemplo, os juízos de senso comum. Eu pedi a um aluno meu que me fizesse um trabalho a mostrar que é sempre possível encontrar dois provérbios que se contradigam, do gênero: "Não deixe para amanhã o que se pode fazer hoje!". É verdade, trata-se de um provérbio conhecido. Mas também há um provérbio que diz: "Devagar se vai ao longe!". Qual o mais verdadeiro? O curioso do senso comum é que ambos são verdade, pois o senso comum não tem verdades genéricas nem científicas; apenas opera com verdades aproximadas e incompletas porque está a ver as coisas no interesse que têm para nós e, portanto, há sempre provérbios contraditórios.

Um outro aspecto a que eu queria chamar a atenção, também do *Insight*, vem neste slide. O capítulo 18 do *Insight* intitula-se "A Possibilidade da Ética". É um capítulo curto no qual Lonergan atribui um lugar cimeiro à ética, sem esgotar o assunto. Como é previsível, ele traz para o âmbito do agir aquela rede de compreensão que usou para o estudo do conhecer e do ser. Os imperativos estão presentes e correspondem a esses elementos, mas a novidade está aqui, no conceito de bens. A ética de Lonergan resgata o conceito mais central à ética que é o conceito de bem, mas que por vários motivos – decorrentes do abandono do aristotelismo – foi transladado da filosofia para a economia, onde passou a ter uma vigência central; não há teoria econômica que não tenha um conceito de bens. O que Lonergan vai fazer é resgatar esse conceito e dar-lhe um alcance completamente novo.

REDE DE ÉTICA		
IMPERATIVOS	ELEMENTOS	BENS
Sê Responsável!	Valores	Valor
Sê Racional!	Juízos	Crítica
Sê Inteligente!	Significados	Ordem
Sê Atento!	Experiências	Particular

No século XX, surgiu a ética dos valores criada por Max Scheler, na qual a importância da fenomenologia foi muito forte e deu origem a análises muito interessantes sobre o conhecimento, a ação, a existência. A certa altura pareceu que toda a filosofia ia ser a ética dos valores, e mesmo quando ela é ensinada de forma intelectualista – se for razoavelmente bem ensinada – permite falar de valores estéticos, valores religiosos, valores éticos, valores vitais, etc. Ao que Lonergan chama a atenção é que isso é uma parte da verdade, mas não é toda a verdade: a ética não é apenas uma questão de valores ou, como ele diz, bens de valor; é também uma questão sobre bens de ordem e bens particulares.

E agora o slide seguinte. Então, ao que ele está a chamar a atenção é que, para termos uma visão mais abrangente do sujeito humano e das estruturas invariantes dos bens, temos que pensar que há tipos diferentes de bens que correspondem, mais uma vez, aos nossos desejos.

O SUJEITO HUMANO			
ESTRUTURA INVARIANTE DOS BENS			
	Indivíduo	Sociedade	História
Bem Particular	Pulsão	Cooperação	Evolução
Bem de Ordem	Hábitos	Instituição	Desenvolvimento
Bem de Valor	Liberdade	Orientação	Civilização

O que ele chama de bens particulares são as coisas, os objetos, as realidades discretas que satisfazem as nossas carências; os bens de ordem podem ser os nossos hábitos ou eventos regulares: eu confio no horário do bonde, do metrô, do avião porque tem horas marcadas. Então, isso significa que foi criado um bem de ordem, um elemento da realidade no qual eu posso confiar para realizar as minhas ações. Os hábitos são as regularidades que crio. E as instituições – sociais, políticas, culturais, etc. – são também bens de ordem porque ajudam a realizar ações segundo esquemas de recorrência. E finalmente há os valores ou bens de valor. Se eu asseguro o meu acesso a bens particulares, se eu confio em que haja ordenamentos, regularidades, instituições e hábitos que facilitam o meu acesso aos bens, então tenho de escolher. Ser capaz de escolher é um outro tipo de bem, decorrente da minha condição racional do fato de eu ser livre, de poder ter uma orientação, de participar na civilização.

O processo ético pode correr mal, como nós vimos. O slide seguinte, com alguma crueza, tem exemplos do que significa a existência de vários tipos de bens. Por exemplo, sigamos a linha da alimentação.

O SUJEITO COMO SUJEITO
ESTRUTURA DOS BENS HUMANOS

Carências	Indivíduo	Sociedade	Finalidades
Capacidades Ex. Genitais Ex. Digestão	Operações Ex. Sexualidade Ex. Alimentação	Cooperação Ex. Relações Ex. Lavouras	Bem particular
Plasticidade Ex. Prazer e emoção Ex. Cru e cozido	Técnicas Ex. Cosmética Ex. Faca e garfo	Instituição Ex. Reprodução Ex. Agricultores	Bem de ordem
Liberdade Ex. Amor Ex. Gastronomia	Orientação Ex. Partilha Ex. Convívio	Inter-relação Ex. Cerimônia Ex. Ritual	Bem de valor

Eu tenho capacidades que me permitem certas operações, que, por sua vez, estão dependentes dos alimentos que eu vou buscar. Os bens de ordem são as instituições com capacidade de me fornecer alimentos. Por exemplo, existem técnicas e processos de gastronomia para cozinhar os alimentos. Como diz no seu livro *O Cru e o Cozido* o célebre antropólogo Lévi-Strauss, que fez uma investigação muito apurada com indígenas da Amazônia sobre os comportamentos primitivos: "Uma coisa é certa, o homem é o único ser que não come os alimentos crus". Então, essa ideia de que nós escolhemos rituais, escolhemos convívios e escolhemos técnicas de gastronomia, é uma forma de exemplificar os bens de valor. A outra série ilustrada no slide está relacionada com a sexualidade, o erotismo, a imagem e, em último caso, os fenômenos da cerimônia da partilha e da afetividade.

Seguindo a lógica de Lonergan, podemos encontrar exemplos para mostrar como se relacionam esses tipos de bens. Com essa teoria ética dos bens, Lonergan está a criar condições para a sua teoria econômica, na qual a ciência econômica tem como horizonte aspectos que ele encontrou na ética e, em primeiro lugar, com a análise da liberdade do sujeito humano e a procura de bens. E essa liberdade transfere-se para os procedimentos da ciência econômica em que, muitas vezes, os economistas estão a operar como numa *black box*, como se cada um de nós fosse um agente mecânico, sem a liberdade da ação humana.

Em segundo lugar, Lonergan está a mostrar, de acordo com Schumpeter, que o grande motor da economia está na capacidade de injetar conhecimento e inovações no processo produtivo; é assim que se formam os ciclos económicos e é assim que Schumpeter explica que cada grande inovação tem um ciclo de longa duração. Considere-se como exemplo as ferrovias. Durante cerca de sessenta anos, os Estados Unidos começaram desde o zero de ferrovia até fazerem a ligação costa a costa, criando um mercado interno e, há até quem diga, criando um país. Se não houvesse um comboio, havia "Estados Desunidos". A Califórnia tinha feito um país, o Sul tinha sido um outro, etc.

Além de mostrar que os ciclos económicos dependem da injeção de conhecimento para criar as maisvalias nos produtos, Lonergan destaca que também dependem da capacidade de financiamento, ou seja, da capacidade de ir buscar meios financeiros que não são gerados pela própria produção, pelo que exigem um sistema bancário, uma bolsa e seguros. Estes são aspectos mais consonantes com as teorias de Hayek ou de Friedman. Vemos neste slide o ciclo puro da economia, isto é, o ciclo que significa a norma que corresponde a uma frequência ideal da qual as ocorrências econômicas concretas se desviam ou divergem, mas sem ser de forma sistemática.

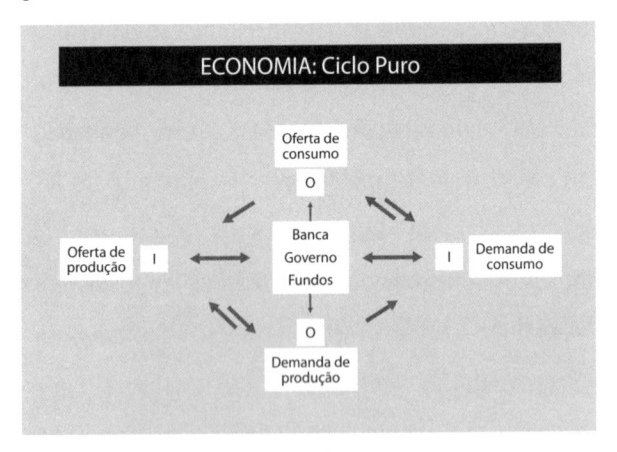

ECONOMIA: Ciclo Puro

```
                    Oferta de
                    consumo
                       O
                       ↑
                    Banca
Oferta de     I  ↔  Governo  ↔  I   Demanda de
produção            Fundos          consumo
                       ↓
                       O
                    Demanda de
                    produção
```

Se os acontecimentos particulares divergissem sistematicamente da norma ideal, não haveria norma. Os acontecimentos divergem, mas nunca se afastam completamente, e por isso é possível fazer previsões em economia. O que Lonergan diz é que essas previsões não podem perder de vista que o agente econômico é livre.

Desde que não percam isso de vista, qual deveria ser a principal tarefa dos economistas? Deveria, primeiro, conseguir que nós todos, agentes econômicos, tivéssemos literacia econômica, que fôssemos capazes de compreender o ciclo de consumo e de produção, de interferência governamental e a existência de sistemas creditícios, quer bancários, quer de acesso a outros tipos de fundos. Isto é, há um conjunto de variáveis habituais em ciência econômica com as quais Lonergan estabelece esquemas de recorrência e depois acrescenta: "Muito bem, mas isso acontece com pessoas! Muito bem; não tem como montar uma empresa se não for para ter lucro, mas o lucro é também um dividendo social. O empresário que aplicou em inovações foi buscar em algum lugar". Pode haver empresários que eles próprios inventam a patente ou a máquina, mas não é o caso mais frequente. Habitualmente o empresário foi buscar na sociedade um conhecimento; então, se queremos uma economia a funcionar, não podemos fazê-la assentar só em equilíbrios parciais.

Eu estou apenas a ilustrar alguns dos principais aspectos econômicos a ter em conta na macrodinâmica funcional; todos eles têm níveis próprios de equilíbrio a ter em conta e conforme se está em fase de expansão ou de depressão econômica – é preciso operar de maneira diferente. Já vimos alguns exemplos da crise presente, Lonergan não está vivo para nos dizer qual é a sua análise, mas existem economistas seus discípulos que têm escrito sobre comércio internacional, sobre a crise americana, sobre produtos financeiros chamados CDS – *Credit Default Swaps* –, que invadiram o mercado. E têm muito a dizer de que modo a gestão de capitais de riscos se transformou em muitos casos em mera especulação e ganância, com produtos estranhíssimos do chamado dinheiro virtual. Do ponto de vista lonerganiano, estamos perante divergências sistemáticas do equilíbrio entre tipos de mercados e, portanto, perante procedimentos condenáveis pela ciência econômica e pela ética.

Um caso típico é a criação do dinheiro pela Reserva Federal Americana. Como outros economistas, Lonergan adverte que não se deve produzir nota de banco de forma especulativa, para cobrir os deficits do governo. Como sabem, os Estados Unidos socorrem-se muito da produção de dólares que eles sabem que vão ser entesourados por países estrangeiros porque o dólar é uma moeda de reserva mundial. E dá-se essa situação extraordinária de que boa parte dos títulos da dívida americana está nas mãos do maior concorrente econômico atual dos EUA, que é a China. Mas, por outro lado, a China também não está interessada em rebaixar o valor do dólar e em atacar a economia americana porque senão faria cair as suas reservas; é como um abraço de dois ursos, um confronto no domínio econômico semelhante ao confronto militar entre os EUA e a União Soviética na era nuclear: estavam tão abraçados que não podiam disparar mísseis um sobre o outro. Os conflitos eram feitos em países terceiros, na Coreia ou no Vietnã, em Angola, Moçambique ou na Nicarágua; os dois impérios nunca se chocaram diretamente. Para todos os efeitos, ainda bem: o império da Otan venceu o império soviético.

Terminando e deixando, então, agora um espaço para perguntas, refiro que esses aspectos econômicos não vêm no *Insight* de Lonergan, mas sim em obras específicas cada vez mais consideradas, *Nova Economia Política* e *Macrodinâmica Funcional*; só existem ainda em língua inglesa, mas pode ser que a tradução portuguesa seja a primeira além do inglês a ser feita pelas nossas equipes da Universidade Católica e do Instituto da Democracia Portuguesa.

Como nota final, para os que estranharem que Lonergan se tenha empenhado na ciência econômica, lembro uma das mais antigas histórias de filósofos que é contada por Diógenes Laércio acerca de Tales. O chamado primeiro filósofo teria sido acusado pela sua empregada doméstica: "Ah, o senhor é muito distraído... Até caiu no poço uma vez porque estava a olhar para as estrelas!". E continua a história de Diógenes Laércio que Tales ficou a pensar na observação e disse: "Pode ser que eu seja distraído, mas pode ser que a minha distração com os astros sirva para qualquer coisa!". Passado um ano, com grande surpresa de todos os agricultores da região, Tales alugou todos os lagares de azeite de Mileto. E os agricultores riram-se: "Ah, esse pateta está a alugar os lagares com tão má produção?". Só que ele alugou os lagares durante dois anos. E no ano seguinte, houve uma superprodução de azeite e só Tales tinha os lagares pelo que fez um ótimo investimento: comprou barato a azeitona e vendeu o azeite com alto preço e lucro. Atenção: é muito bom ser prático e pragmático, mas a verdadeira pessoa prática é a pessoa capaz de conceber a ideia que vai resolver o problema prático.

Se isso é contado do primeiro filósofo, aquela fama do filósofo como pessoa distraída e inútil tem de ser revista! Há vários tipos de inutilidades, tal como há vários tipos de utilidades. Queria terminar dizendo que Lonergan revela-se um autor que consegue tocar toda a gama do conhecimento, desde os aspectos muito imediatos, e para nós muito decisivos, da livre organização econômica que ele refere à importância para a democracia. Ele quase não tem escritos sobre política, mas o que diz é que para salvar e manter uma democracia, temos que ser todos atentos, inteligentes, razoáveis e responsáveis. Ele não está a dar receitas partidárias e ideológicas, mas sim a recomendar que há conhecimentos para se injetar no sistema político-econômico. E, portanto, ele, desde os aspectos mais elementares aos aspectos mais estratosféricos da filosofia, tem uma palavra muito importante a nos dizer.

Aluno: Boa noite, professor! Eu gostaria de saber essa posição do Lonergan quanto ao ecumenismo.

Isso merecia uma resposta longa, pois "ecumenismo" não é palavra que ele use particularmente. Claramente ele é favorável ao que se pode chamar o diálogo interconfessional, dentro do cristianismo; mas o que é importante é perceber por quê. Mais uma vez, estamos a falar de um sacerdote jesuíta com obediência aos cânones e princípios da Igreja Católica. Ao contrário de um outro sacerdote jesuíta e também considerado filósofo, Teilhard de Chardin, Lonergan nunca teve qualquer tipo de atrito com o Vaticano.

Aluno: Mas haveria motivo para ter?

Não, intrinsecamente, não! Mas há sempre aspectos da sua filosofia que poderiam ser criticados por motivos extrínsecos. Ele é favorável à aproximação ecumênica a outras religiões sem abdicar do protagonismo e da centralidade da vida e da palavra de Jesus Cristo. Lonergan tem uma posição filosófica que caminha com um pensamento que nunca está fechado, e que procura a perspectiva universal, definida aqui na página 108: "(...) uma totalidade potencial de perspectivas ordenadas dialética e geneticamente". A resposta de Lonergan está apresentada com precisão de cirurgião. É de uma "totalidade de perspectivas" porque visa a captar significados; é "potencial" porque se distingue de uma explicação absoluta do tipo hegeliano ou de esquemas *a priori* kantianos. É uma perspectiva a partir da qual o intérprete pode ver como se desenvolvem outras perspectivas, ou seja, é uma estrutura heurística alcançada mediante a acumulação paciente de investigações.

Em palavras mais simples, o que Lonergan nos está a dizer é que "o caminho faz-se caminhando"; que a experiência religiosa não é uma informação; pode haver dogmas, como no catolicismo, mas os dogmas não caíram do céu e a hermenêutica explica como surgiram os dogmas. Aliás, um dos seus estudos mais interessantes de história teológica é sobre a construção do Credo de Niceia, um momento decisivo da dogmática cristã. Lonergan era capaz de compaginar a aceitação de princípios dogmáticos com a abertura de reconhecer que esses princípios dogmáticos tiveram um princípio, dependem de uma linguagem e exigem uma hermenêutica. O procedimento que nos leva a "fechar" a verdade num dogma é o mesmo que nos dispõe a estarmos abertos à verdade e a compreender dogmas com valor para outros. Então, isso é importante: ele consegue ao mesmo tempo manter uma posição doutrinária e perceber que outras doutrinas têm também a sua razão de ser. "Eu não acho que sejam tão importantes como a minha, mas não as vou desprezar por isso!" Isso exige um diálogo religioso, que não é fácil, porque o diálogo religioso não implica apenas problemas de conhecimento, mas também problemas de poder. Isso já não é da ordem da filosofia nem da teologia, mas da estrutura da sociedade e da política, com quem manda e quem obedece; já não é a lógica do conhecimento, mas sim a lógica do domínio.

Aluno: Se a questão da probabilidade existe mesmo, e eu acho que existe, a Teologia Sistemática está morta; e se a Teologia Sistemática está morta, então nós estamos tratando de uma teologia das realidades terrestres e que, por conseguinte, nós então transformamos a teologia numa antropologia, que por sua vez é inteiramente imanente. O problema é: sou padre, tenho que ensinar Teologia Sistemática e que Deus está no controle de tudo, Ele sabe de tudo. A questão da probabilidade compromete tudo?

A minha primeira observação é que diversas congregações cristãs que operam na África utilizam as obras de Lonergan para a formação de seus seminaristas que vão ser sacerdotes católicos.

Agora vou-lhe dar uma resposta indireta. A tese de doutorado de Lonergan é sobre a questão da graça operante, ou operativa, em Tomás de Aquino. Após Tomás ter escrito sobre isso na *Suma Teológica*, no século XIII, essa questão deu origem no século XVI a uma controvérsia em Portugal e Espanha à qual estão ligados os nomes de teólogos ilustres, como o professor da Universidade de Évora, Luís de Molina, e o professor da Universidade de Coimbra, Francisco Suarez. E a questão foi sempre a do Criador como um ser onisciente, onipotente, enfim, todas essas características que a teologia indica para o absoluto. Não creio que vão mudar tão depressa, essas características de o Criador ter uma presciência divina, etc. Faz lembrar a anedota do cigano a quem o sacerdote pergunta: "Quando vais começar a aprender os mandamentos?". Ao que o cigano responde: "Ainda não comecei a aprender porque ouvi dizer que os mandamentos iam mudar!".

Santo Agostinho analisou a predeterminação do futuro humano, a possibilidade de tudo estar escrito no "livro da vida" acerca de cada um de nós. Se, portanto, o futuro já está traçado aos olhos de Deus, onde reside a liberdade humana? A liberdade humana é zero! Ora, isso contraria um aspecto central de toda a religião cristã: o homem é profunda, essencial e absolutamente livre de escolher. Todas as construções teológicas, desde a queda e o paraíso, até Adão e Eva, mostram essa liberdade, para o bem e para o mal. Na referida controvérsia, mais uma vez misturaram-se motivos de poder com motivos teológicos. Suarez e Molina eram jesuítas, os seus adversários eram dominicanos. A solução de Molina, chamada dos "futuros contingentes", ou da "ciência média", diz isto: "Sim, Deus sabe tudo, tudo está escrito no livro da vida, existe predestinação, mas isso não altera que eu seja livre de escolher, porque essa predestinação eu não a posso ler, não está ao meu alcance!".

São soluções muito especulativas. Ora, Lonergan não vem destruir a ideia de que por um lado existe liberdade humana e dela não podemos abdicar e, por outro, se continuamos a pensar no ser divino, não podemos deixar de pensar nele com todos os atributos que não vão mudar. O que nos diz é que o conceito de probabilidade é um acréscimo de conhecimento que em boa parte nos foi facultado pelo desenvolvimento científico, mas que também está presente na própria ocorrência da natureza. O que nos está a dizer é que o universo é um processo em aberto; não está a afirmar, à maneira de Telhard de Chardin, que o universo passa por fases diferentes – biogênese, noogênese, cristogênese. Lonergan procede como alguém que tem um conjunto de instrumentos à sua frente – piano, cordas, instrumentos de sopro – e sabe-os tocar; à medida que os instrumentos ganham vida própria, ele vai para a banqueta do maestro coordenar os vários instrumentos. Lonergan sabe que a ciência tem as suas verdades, que o senso comum tem as suas, que a religião tem outras, mas acha que não se devem misturar. A teologia, no fundo, não é uma ciência, é um conhecimento que se constrói com base numa revelação, enquanto a ciência é um procedimento metódico e perfeitamente definível que nos faz descobrir esquemas de recorrência. É bom haver provérbios e ditames de senso comum para nós, no dia a dia, não nos atrapalharmos uns aos outros e para obtermos raciocínios práticos; e é bom haver mitos e literaturas, contos e histórias, porque essa é a forma como a nossa imaginação mostra o que ainda é desconhecido, mas que já estamos a sentir e a pressentir.

Temos aqui uma visão de que todas essas formas de conhecimento têm a sua validade e não se podem misturar. O fato de uma delas, o conhecimento religioso, reclamar ser uma doutrina e estabelecer dogmas, tem de ser integrado numa perspectiva universal. Não é a última palavra, vai haver mais pessoas, vai haver mais gente, vai haver mais vida e Lonergan acha que é possível compaginarmos esse desiderato com a perspectiva universal. Em último caso, o dogma não é uma decisão da razão, mas é uma decisão por causa da razão. Como disse Santo Agostinho: "Em último caso, acredita-se porque existe uma Igreja, não se acredita porque se possa demonstrar que os dogmas são verdadeiros". Lonergan está dentro dessa linha agostiniana que sempre foi a linha central do cristianismo; quando se trata de explicar os mistérios da transubstanciação, a resposta de Agostinho é: "*crede et manduca!*" (*acredita e come!*). Não vale a pena estar a fazer uma explicação do tipo aristotélico, a dizer que muda a substância mantendo-se as espécies... Como Voegelin diz numa famosa passagem, isso é "química transcendental". Creio que a fé deve ser colocada no seu lugar cimeiro e não procurar demonstrar o indemonstrável. Esta não é uma posição fora do corrente, mas exige uma paciência fora do corrente para ser sustentada.

Se não houver mais perguntas, penso que poderíamos ficar por aqui, e considero que foi muito agradável para mim o estar convosco.

Dados Internacionais de Catalogação na Publicação (CIP)
(Câmara Brasileira do Livro, SP, Brasil)

Henriques, Mendo Castro
  Bernard Lonergan e o insight / Mendo Castro Henriques; introdução Felipe Cherubin; transcrição Denny Marquesani. – São Paulo : É Realizações, 2011. – (Coleção Filosofia Atual)

ISBN 978-85-8033-008-3

1. Filosofia – Século 20 2. Lonergan, Bernard, 1904-1984 – Crítica e interpretação 3. Lonergan, Bernard, 1904-1984. Insight: um estudo do conhecimento humano I. Cherubin, Felipe. II. Marquesani, Denny. III. Título. IV. Série.

11-00650   CDD-191

Índices para catálogo sistemático:
1. Lonergan : Interpretação : Filosofia   191

Este livro foi impresso pela Prol Gráfica e Editora para É Realizações, em fevereiro de 2011. Os tipos usados são Minion Condensed e Adobe Garamond Regular. O papel do miolo é chamois fine dunas 120g, e da capa, cordenons stardream diamond 285g.